MENTES ÚNICAS

CARO LEITOR,
Queremos saber sua opinião sobre nossos livros.
Após a leitura, curta-nos no facebook/editoragente,
siga-nos no Twitter @EditoraGente e no Instagram @editoragente
e visite-nos no site www.editoragente.com.br.
Cadastre-se e contribua com sugestões, críticas ou elogios.
Boa leitura! #LivrosFazendoGente

LUCIANA BRITES
DR. CLAY BRITES

MENTES ÚNICAS

APRENDA COMO **DESCOBRIR, ENTENDER E ESTIMULAR** UMA **PESSOA COM AUTISMO** E DESENVOLVA SUAS HABILIDADES **IMPULSIONANDO SEU POTENCIAL**

Diretora
Rosely Boschini
Gerente Editorial
Rosângela de Araujo Pinheiro Barbosa
Assistente Editorial
Franciane Batagin
Controle de Produção
Fábio Esteves
Projeto gráfico e Diagramação
Karina Groschitz
Preparação
Carla Fortino
Revisão
Juliana de A. Rodrigues
Capa
Karina Groschitz
Impressão
Gráfica Santa Marta

Nota: Este livro tem como propósito informar e educar e deve ser considerado apenas material de referência, e não um manual médico.

As informações aqui apresentadas objetivam ajudá-lo a tomar decisões referentes à saúde de crianças e adolescentes e não pretendem substituir nenhum tipo de tratamento receitado por seu médico. Se você suspeita que essa criança tem autismo ou algum outro problema de saúde, recomendamos que procure auxílio médico profissional para o correto diagnósico e tratamento.

Copyright © 2019 by Luciana Brites e Clay Brites

Todos os direitos desta edição são reservados à Editora Gente.

R. Natingui, 379 - São Paulo - SP

CEP 05443-000

Telefone: (11) 3670-2500

Site: www.editoragente.com.br

E-mail: gente@editoragente.com.br

Dados Internacionais de Catalogação na Publicação (CIP)
Angélica Ilacqua CRB-8/7057

Brites, Luciana
    Mentes únicas / Luciana Brites, Clay Brites. - São Paulo: Editora Gente, 2019.
    192 p.

Bibliografia
ISBN 978-85-452-0307-0

    1. Autismo 2. Transtorno do espectro autista 3. Crianças autistas 4. Autismo - Diagnóstico 5. Autismo - Tratamentos I. Título II. Brites, Clay

19-0173   CDD 616.85882

Índices para catálogo sistemático:
1. Autismo

Dedicamos este livro a todas as famílias de pessoas com TEA, famílias que tiveram de enfrentar desafios e dores, num exercício de esperança em que o amor, muitas vezes com sofrimento, ensina, mostra e possibilita um ir além, enxergar e caminhar, seguindo em frente, sempre.

"Pessoas com autismo não precisam de cadeiras de rodas, pernas artificiais ou cão-guia. Sua 'prótese' são as pessoas."
Ruth Christ Sullivan

AGRADECIMENTOS

ANTES DE CONCRETIZARMOS um projeto, passamos por várias fases: o sonho, a visão, a possibilidade que se abre; a construção, o trabalho diário que exige muita resiliência, determinação e, acima de tudo, amor. Amor pelo que se faz e amor, enfim, por tudo o que se pode fazer na vida do outro.

Gostaríamos de agradecer a Deus, que sempre nos orienta, guia e nos possibilita aprender e compartilhar.

A nossos filhos, que sempre nos apoiam, num exercício diário de empatia em que, por vezes, eles têm de abrir mão da nossa presença física para que auxiliemos os filhos de outras pessoas, pois eles, assim como nós, abarcaram essa missão. Amamos vocês infinitamente!

Aos nossos pais presentes: muito obrigado!

A cada estudioso que se dedica a pesquisar mais e mais.

E, principalmente, a cada pai e mãe, a cada professor, a cada profissional que busca mais que conhecimento – busca aprender para ser um instrumento na vida de pessoas que nos ensinam a cada dia mais do que um diagnóstico, mas que elas devem ser respeitadas!

SUMÁRIO

PREFÁCIO   12

INTRODUÇÃO   16

1. ENTENDENDO A HISTÓRIA DO AUTISMO PARA ENTENDER OS CONCEITOS DE HOJE   26

2. COMO O CÉREBRO FUNCIONA NO AUTISMO? 34
    Genética × ambiente: onde está o culpado?   41

3. IDENTIFICAR O ESPECTRO: SUSPEITAR PARA INTERVIR E NÃO PARA ESPERAR   50
    Qual o papel de quem avalia uma criança?   58
    Quando suspeitar? 62
    Pode ter autismo: o que eu faço?   65
    Ok, eu vou ao "especialista". Mas ele existe? Qual a vantagem? 69
    Sinais principais e secundários   71
    Escalas de triagem e de diagnóstico   81
    Os critérios diagnósticos do TEA no DSM-5   84
    Avaliação neuropsicológica, cognitiva e de linguagem 86
    Por que fechar o diagnóstico de autismo é importante?   88

4. MEU FILHO TEM AUTISMO: E AGORA?   90
    Primeiro passo: pergunte ao médico o que significa autismo   91
    Quanto o tratamento dele vai depender de mim?   94
    Ele vai falar um dia? 96

Devo contar para os parentes? 96

Quais tratamentos têm comprovação científica? 97

Quais características um bom tratamento deve ter? 99

Ele está melhorando? Como eu percebo? 99

Além do autismo, meu filho pode ter mais algum problema? 101

Medicações no autismo: para que servem? 102

5. ABORDAGENS E PRÁTICAS A SEREM APLICADAS NO DIA A DIA 108

Abordagens comportamentais 110

Abordagens desenvolvimentais 114

Terapias fonoaudiológicas 120

Terapias ocupacionais 121

TIS (Terapia de integração sensorial) 121

Estratégias de educação estruturada (método TEACCH) 124

PECS (Sistemas de comunicação alternativa e/ou por figuras ou Picture Exchange Communication Systems, em inglês) 125

Abordagens complementares/alternativas 127

Estereotipias no autismo: como conduzir? 128

6. INCLUSÃO NA ESCOLA: UM CAPÍTULO À PARTE 134

A criança com autismo chega à escola: a inclusão começa! 136

No mundo do autismo, um bom professor é aquele que... 139

Inclusão institucional 141

Inclusão social 143

Adaptação curricular 148

Aprendizagem da leitura, escrita e matemática no autismo 152

Leitura 155

Escrita 158

Matemática 160

7. QUAIS OS DIREITOS DO MEU FILHO COM AUTISMO? 166

Autismo: o conceito de deficiência e a cobertura das leis 167

Laudo médico: detalhes importantes 170

CONCLUSÃO 172

OBSERVAÇÕES E RECOMENDAÇÕES AOS PEDIATRAS 180

APÊNDICE 1: OBSERVAÇÕES E RECOMENDAÇÕES AOS PEDIATRAS 180

APÊNDICE 2 : O PEDIATRA DE ANTIGAMENTE ("TRADICIONAL") E O DE HOJE ("ESCLARECIDO E ATUALIZADO") 184

REFERÊNCIAS BIBLIOGRÁFICAS 187

PREFÁCIO

É SEMPRE UMA HONRA escrever o prefácio de uma obra resultante do trabalho de dois especialistas tão sérios e competentes como Clay e Luciana Brites.

Entretanto, mais ainda pelo tópico abordado, é um prazer poder dizer algumas coisas sobre um tema que me interessa há muito tempo.

O autismo, como muito bem se refere o texto que, por ora, apresento, corresponde a um quadro descrito em 1943 pelo psiquiatra nascido na Ucrânia e adicado nos EUA, Leo Kanner, então diretor do serviço de Psiquiatria da Infância da Universidade Johns Hopkins. Sua descrição está embasada em um modelo de pensamento dito nosológico, ou explicativo, que reconhecia o conceito de enfermidades ou doenças.

Esse modelo de pensamento acompanhou a história do autismo até meados dos anos 1970 quando, por diferentes motivos, o raciocínio psiquiátrico passou a se dirigir para um diagnóstico nosográfico, ou descritivo, que reconhece sintomas e síndromes.

Enquanto o primeiro modelo corresponde a um modelo empírico, racional e lógico, a partir de um estudo analítico inteligente dos sintomas e das manifestações clínicas, ponderando os componentes semiológicos, fisiopatológicos e pessoais (além de outros fatores que possam intervir no caso), e relacionando-os com exames complementares para que todas essas situações possam ser agrupadas em um diagnóstico, o segundo modelo – nosográfico – compara as informações descritivas sobre o caso

PREFÁCIO

com um modelo anteriormente estabelecido para que se escolha o que parece ser mais semelhante.

Essa diferença entre modelos diagnósticos pode parecer sofisticação teórica ou temática destinada somente àqueles que se interessam pelos aspectos filosóficos do tópico; entretanto, foi exatamente essa diferença teórica que fez com que o autismo, passando da ideia de doença para o conceito de síndrome, se transformasse da maneira que vemos presentemente.

Assim, essa transformação conceitual ocasionou mudanças epidemiológicas que o fizeram passar de quadros raros, no dizer de Kanner, para uma prevalência de 4:10.000 ao DSM-III e de 1:68 para alguns autores modernos, o que nos leva a pensar, "machadianamente" (se é que posso me valer do neologismo) que breve é o tempo que nos falta para que digamos que "somos todos autistas e o único a não sê-lo será aquele que estabelecer o diagnóstico", na mais pura imitação de O alienista.

Da mesma forma, a transformação do conceito de autismo em uma síndrome fez com que, diferentemente daquilo que Kanner propunha (a diferenciação de autismo primário e autismo secundário, associado ao retardo mental e aos quadros neurológicos), passássemos a associá-lo de maneira marcante com os quadros neurológicos e ligados ao retardo mental, fazendo com que, dentro dos cânones pós-modernos, passasse a ser buscado um nexo causal cada vez maior com alterações neurológicas.

Finalmente, esse mesmo raciocínio fez com que os modelos terapêuticos se alterassem, não em sua forma de ação, mas em seu conceito, fazendo com que hoje tratemos somente sintomas-alvo, e o modelo de estimulação seja eminentemente cognitivo-comportamental, aliás da mesma maneira que se faz com os quadros de retardo mental desde meados do século XX.

No Brasil, o conceito foi trazido por psiquiatras que conviveram com Kanner e foram seus alunos, como Krynski e Knobel. Posteriormente, minha geração contribuiu com a passagem dos conceitos europeus continentais para os anglo-americanos, puramente descritivos e aqui, temos que citar as contribuições de José Salomão Schwartzman e Raymond Rosenberg, bem como o início das AMAs e dos movimentos de autistas com a gradual implantação dos modelos TEACCH e ABA.

Este livro traz uma terceira geração, nascida e crescida dentro desse modelo predominante com um claro direcionamento epistemológico que, acredito, será útil àqueles que a lerem, sobretudo porque, passados 76 anos desde sua descrição enquanto quadro clínico, nosso arsenal terapêutico continua bastante limitado, ficando, do ponto de vista psicofarmacoterápico, com evidências significativas principalmente dos neurolépticos (dos quais o mais moderno com essas evidências significativas) data dos anos 2000. Da mesma forma, o método pedagógico considerado mais eficaz foi estabelecido em 1964 e o modelo de estimulação em 1982.

Isso faz com que abordagens com bases mágicas ou pouco explicadas cientificamente, quer pelas limitações metodológicas, quer pelos absurdos conceituais, ainda continuem a ser extremamente sedutoras para as populações afetadas.

Mais ainda, faz com que nos perguntemos por quê, após tantos anos de conhecimento, políticas públicas não tenham sido implantadas e recursos não tenham sido criados, uma vez que sabemos, há muito tempo, o que devemos fazer.

Exatamente por essas limitações é que um trabalho deste tipo se torna de importância. Ele esclarece pais e técnicos em início de trabalho sobre a importância de diagnósticos compreensivos e amplos em lugar de diagnósticos rasos por similitude de sintomas e uso mecânico de escalas.

PREFÁCIO

Abre ainda algumas perspectivas sobre limites e possibilidades das abordagens conhecidas e, em especial, mantém vivo, de maneira séria, um assunto que se deixado de lado passa a ser, somente, palavra para movimentos ativistas, sem embasamento científico e, na maior parte das vezes, com interesses subjacentes.

Exatamente por todo esse panorama os autores deste livro merecem os parabéns e o estímulo para que continuem nessa caminhada, árdua e trabalhosa, mas que permite, de maneira séria, que possamos apontar dificuldades, possibilidades e criar rumos para o atendimento em nosso país.

Mais do que os discursos vazios e sedutores que proliferam em nosso meio, na maior parte das vezes como mecanismos compensatórios do próprio estigma, conforme refere Goffman, trabalhos sérios como este que apresento representam um progresso em nosso meio.

Parabéns aos autores e, aos leitores, espero que aproveitem e se deliciem com o trabalho.

Prof. Dr. Francisco B. Assumpção Jr.
Professor livre-docente pela Faculdade de Medicina da
Universidade de São Paulo, professor associado do Instituto de
Psicologia da Universidade de São Paulo, membro das
Academias Paulista de Medicina (cadeira 103) e Psicologia
(cadeira 17)

INTRODUÇÃO

A COMUNIDADE INTERNACIONAL tem se debruçado cada vez mais sobre o universo do autismo. Ainda sem uma causa ou um fator desencadeante conhecido, tanto sua incidência quanto sua prevalência têm aumentado de maneira muito significativa na população infantojuvenil. Nos anos 1980-1990, para cada 2 mil crianças que nasciam, 1 tinha autismo. Hoje, a proporção mais atual é de 1 para 51; estima-se que aproximadamente 1% da população mundial tenha autismo. Uma curiosidade maior também tem sido motivada graças ao impacto negativo que ele ocasiona nas habilidades sociais, na linguagem, na aprendizagem escolar, na dinâmica familiar e no mercado de trabalho (quando na fase adulta), podendo prejudicar muito e até gravemente a autonomia e a capacidade de reproduzir habilidades básicas de socialização e de empatia de acordo com o que se espera para a idade. Em muitos e muitos casos, por causa das terapias, a renda familiar diminui, e os sistemas previdenciários passam a ser sobrecarregados pelas necessidades de longo prazo. Portanto, não à toa, o interesse tem se generalizado e se aprofundado nos mais diversos campos do conhecimento, da política, da economia, das instituições públicas e privadas, das redes sociais e da tecnologia. Esse panorama tão centrado no tema e, ao mesmo tempo, tão difundido em várias áreas, tem estimulado discussões, trocas de ideias, revelações de experiências, legislações, modelos de ensino, novas pesquisas e várias formas de como entendê-lo nos mais diferentes contextos e espaços.

Quem hoje presencia essa avalanche de dados e informações pode ser induzido a imaginar que a humanidade só passou a se importar com o autismo de anos para cá. Isso, porém, não condiz com a realidade. As primeiras citações e tentativas de explicá-lo surgiram no início do século passado, quando o psiquiatra Eugen Bleuler, em 1911, inaugurou a sua história usando o termo "autismo" para nomear a forma clínica mais radical e intensa do grupo das esquizofrenias em que o indivíduo atingiria, no grau IV a "forma máxima de desligamento do mundo exterior combinado com a predominância relativa ou absoluta do mundo interior".

De um pouco mais de cem anos para cá, muitos pesquisadores, cientistas, clínicos e profissionais de saúde e de educação contribuíram para um maior entendimento não somente do termo em si, mas também dos aspectos clínicos, comportamentais, educacionais, sociais e subjetivos presentes nessa condição. Desde a primeira publicação científica, em 1943, por Leo Kanner (que descreveu autistas moderados e severos) e a segunda, em 1944, por Hans Asperger (que descreveu autistas leves e com boa capacidade funcional), vários outros se dedicaram a tentar explicar a intensa diversidade de apresentação do transtorno e quais suas possíveis causas.

Até meados dos anos 1970, achava-se que o autismo fosse resultado de um processo anormal ou diferente de expressão afetiva e de interação provavelmente causado por "mães-geladeiras" ou afetivamente distantes que, até inconscientemente, rejeitariam a existência do filho. Esse, por sua vez, concebido e gerado nesse contexto, desenvolveu uma excessiva e inata inabilidade para se relacionar com os outros. Tal teoria, de base psicanalítica, dava pouca importância à possibilidade de que manifestações biológicas pudessem ter qualquer participação nas manifestações do seu quadro.

INTRODUÇÃO

Nos anos 1970, com a crescente publicação de artigos relacionando os sintomas autísticos com outras condições médicas de natureza puramente neuroestrutural – como epilepsias, síndromes genéticas, malformações cerebrais e deficiência intelectual –, a balança passou a pesar para o lado das causas biológicas. A partir desse momento, as pesquisas passaram a investigar eventos e interfaces dentro dessa perspectiva, e, nos anos 1990, com o advento da neurociência, o aprofundamento da genética e o desenvolvimento de novas tecnologias de neuroimagem, houve um aumento exponencial de publicações descrevendo o autismo como um complexo de sintomas associado a determinadas patologias, como disfunções gliais, desarranjos do tecido cerebral e problemas de conectividade de redes neuronais com a participação de mutações genéticas. Nessa esteira de novas perspectivas, especialidades como a neuropsicologia e a psicologia cognitiva passaram a observar que o funcionamento cerebral do autista era diferente, e novas teorias psicológicas (cognitiva, coerência central e teoria da mente) passaram a explicar melhor e de maneira mais lógica esse tipo de comportamento.

Em paralelo, estudos clínicos e de observação evolutiva começaram a dar ampla base de informações que proporcionaram o desenvolvimento de testes, escalas e instrumentos de avaliação diagnóstica que passaram a auxiliar na detecção cada vez mais precoce dos sinais iniciais na infância e permitiram criar parâmetros mais seguros para profissionais suspeitarem e confirmarem a presença ou a ausência do autismo nas mais diferentes fases da vida, assim como embasar melhor abordagens para intervenção e analisar a resposta a elas. Esses mesmos estudos auxiliaram na criação de critérios que foram sendo cada vez mais lapidados e refinados, avançando na descrição dos mais diversos tipos clínicos do autismo (como a classificação observada no DSM-IV). Aos poucos, esses tipos, com evidentes padrões de comportamentos comuns em idades mais precoces, foram sendo agrupados num só conjunto de manifestações com graus e diferentes tonalidades de apresentação clínica: o transtorno do espectro autista ou TEA (como observado no DSM-5).

Mesmo com toda essa extensa bagagem histórica, a falta de informação sobre o autismo ainda é constante na maioria dos profissionais que lidam com crianças, adolescentes e adultos. Vários mitos e lugares-comuns ainda persistem e fazem com que pediatras, clínicos que atendem na atenção primária e psicólogos continuem demorando para identificar os sinais, o que acaba, lamentavelmente, postergando as intervenções. No Brasil, por exemplo, pesquisas têm demonstrado que o tempo entre a suspeita inicial levantada pelos pais e a confirmação diagnóstica do autismo pode levar até três anos! Os motivos são muitos, mas podemos citar três fatores principais: 1) o conhecimento de base acerca do desenvolvimento infantil e suas características e peculiaridades ainda são cercados de conceitos desatualizados (como a antiga e famigerada frase: "Cada criança tem seu tempo") e influenciados por teorias de desenvolvimento ultrapassados e sem base científica; 2) a ideia de que identificar um problema de comportamento muito cedo é "rotular" a criança, podendo "traumatizá-la" ou deixá-la "marcada" pela sombra desse diagnóstico; e 3) a falta de homogeneidade entre os profissionais na hora de suspeitar do transtorno, acarretando recuos de uns ou de outros no momento de bater o martelo do diagnóstico e induzindo muitos pais a desconfiar do profissional que foi em frente e fechou o temido diagnóstico.

Além desses fatores, ainda se somam outros que se espalham no imaginário das pessoas e em nossa cultura: o medo de encarar a notícia de que o filho tem autismo e a negação do diagnóstico de alguns integrantes da família (pai, tios, primos e cunhados(as). No consultório, é

INTRODUÇÃO

comum ouvir de mães de autistas que, mesmo identificando sinais muito claros de que o filho tivera comportamentos muito diferentes do de seus primos ou irmãos, os parentes chegavam e falavam que ela estava ficando "louca" e que era coisa "da sua cabeça". O contrário também pode acontecer: uma tia ou um primo pode identificar esses sinais, que são rechaçados ou ridicularizados pelos pais da criança. Sem dúvida alguma, ambas as posturas de incredulidade têm sido motivadas por um misto de desconhecimento e preconceito.

O autismo não é o fim do mundo. É só mais uma condição médica pouco compreendida e por vezes negligenciada até pouco tempo atrás. Muitas características fazem de seu filho uma pessoa única, mas, para que ele tenha uma vida mais conectada com a vida social e esteja preparado para as instabilidades, é necessário conhecer mais e descobrir cedo! O que vemos hoje de severo, grave e temerário entre os indivíduos com autismo, algo que tanto assusta as famílias, as escolas e os gestores público e privados, é resultado de décadas de negligência e de diagnóstico tardio. As gerações passadas ficaram sem o devido tratamento no tempo certo, e os pais sem a orientação necessária para estimular os filhos. Além disso, só recentemente começamos a constatar quais terapias e meios de intervenção são mais indicados e como trabalhar especificamente com os comportamentos mais difíceis. Esse panorama agora induz a nossa geração a enxergar o autismo como um beco sem saída...

Muitos casos de autismo podem ter (ou evoluir para) níveis graves, severos, em relação aos quais há pouquíssimo a fazer. Felizmente, esses são a minoria, e tendem a reduzir ainda mais com o conhecimento que dia a dia vem brotando das pesquisas e da experiência clínica. Já tivemos a oportunidade de presenciar casos graves – para os quais imaginávamos ser impossível vislumbrar uma melhora – tornarem-se leves, funcionais e com potencial para a aprendizagem escolar. Todos eles, porém, tinham algo em comum: um diagnóstico precoce, antes dos 3 anos, e um engajamento intenso e constante nas terapias, envolvendo família, profissionais de saúde e de educação e sem ter sido perturbado por eventuais burocracias.

Aprender a identificar cedo o autismo e a trabalhar corretamente com a criança é a principal estratégia para promover os avanços almejados. Isso poderá permitir que ela se torne um ser humano realizado dentro de suas particularidades e que a família fique satisfeita, afastando as antigas e sombrias perspectivas. Essas experiências bem-sucedidas, além de benéficas para quem as viveu, podem mudar para melhor as impressões que as pessoas têm do autismo e motivar uma identificação cada vez mais antecipada de outros casos, visto que os envolvidos estarão desprendidos de preconceitos inúteis e nocivos e explodirão de vez aquela cultura de "esperar até determinada idade para ver como vai evoluir".

Um sábio professor que tivemos, há muitos anos, dizia que "determinados problemas aparecem para que a humanidade possa rever seus métodos e evoluir para melhor". Você já deve ter ouvido algo parecido, não é mesmo? Muito bem, hoje podemos atestar quanto as formas de avaliação e de tratamento estão cada vez mais assumindo comportamentos multidisciplinares. A multidisciplinaridade é um meio tanto de avaliação quanto de intervenção, que consiste em envolver vários profissionais ao mesmo tempo, e cada um, dentro da sua especialidade, passa a entender um pouco da especialidade do outro e contribui para descobrir ou para resolver, da forma mais global possível, um determinado problema. Essa forma de manejo tem se revelado a mais eficaz, humana e completa para a maioria das doenças ou transtornos médicos. Para quem vem trabalhando nessas áreas de desenvolvimento, então, é um sonho ver a multidisciplinaridade ser cada vez mais aplicada

INTRODUÇÃO

e os profissionais cada vez mais formados e atualizados nessa metodologia. Pois bem: o autismo veio a ser o "problema" que apareceu para fazer evoluir a nossa prática, pois ele está "forçando" os profissionais a se comunicarem uns com os outros, a humildemente reconhecerem suas limitações quando sozinhos, a reverem alguns aspectos de suas recomendações de rotina e a melhorarem o olhar clínico de todos os que avaliam crianças em desenvolvimento, como médicos, professores, fonoaudiólogos, psicólogos e demais especialistas.

O autismo tem induzido muitos médicos a conversarem mais com seus pacientes e cuidadores, verem a condição básica de vida, investigarem conflitos emocionais, explorarem com mais detalhes fatores contribuintes ou prejudiciais para a qualidade de vida da família de um autista. Os profissionais não médicos, por sua vez, estão sendo obrigados a estudar mais e a se especializar, para entenderem cada vez mais sobre como transformar aquilo que produzem no consultório em meios para serem aplicados e praticados em casa pelos cuidadores. A escola, por sua vez, está sendo "forçada" a enxergar nos autistas a oportunidade de aprender sobre como conduzi-los, a diversificar as maneiras de recepcioná-los, a direcionar melhor os materiais didáticos, a compreender os meios para que essas crianças e jovens memorizem os conteúdos dentro de suas limitações, a trocar ideias e experiências com casos bem-sucedidos e a dialogar com os pais possibilidades para novos avanços. A família, por seu turno, tem sido levada a perceber a importância de se manter unida e fiel aos profissionais que cuidam de seu filho, direcionando as intervenções dentro e fora de casa e reconhecendo seu protagonismo na aplicação prática do que se faz dentro dos consultórios. O médico tem que entender de escola; a escola, de neurologia; a neurologia precisa permitir-se receber dados de psicologia e de terapia ocupacional; e a família tem que propiciar a manutenção de todas essas intervenções

MENTES ÚNICAS

para que elas efetivamente modifiquem, dentro dos limites que conhecemos, o cérebro de seu filho e promovam a funcionalidade desejada.

O transtorno do espectro autista (TEA) tem motivado, portanto, a construção de uma rede nunca outrora vista e proporcionado uma criatividade, baseada na união de todas essas áreas, que jamais existiu. A linguagem tão difícil dos livros e dos artigos científicos tem chegado aos nossos ouvidos bem mais leve e "mastigada" por aulas e palestras mais compreensíveis. As redes sociais e os grupos de pais/cuidadores em aplicativos de mensagens têm possibilitado a troca de informações e permitido a execução de ações com essas crianças que nos ajudam a estudar melhor os comportamentos e as formas de resolução de problemas. O preconceito de pais e cuidadores em relação às medicações tem sido substituído, aos poucos, pela busca de orientações sobre como utilizá-las de maneira consciente e sobre como o uso delas nas terapias e nas rotinas de casa pode ajudar seu filho. Os médicos têm entendido cada vez mais como fonoaudiólogos e psicomotricistas trabalham e como devem ser acionados no tratamento, dando tanta importância a eles quanto às receitas médicas assinadas. A escola tem ampliado cada vez mais suas conexões com os conhecimentos em neurobiologia da aprendizagem e com a ciência ligada aos meios de reabilitação neurofuncional, saindo do conformismo e buscando se atualizar fora do eixo tradicional. Os gestores de educação e saúde têm ampliado os interesses e lutado pelas garantias previstas em lei para as famílias e instituições. Enfim, aquele "problema" está solucionando vários gargalos, quebrando tabus e destruindo muros que pareciam intransponíveis a fim de melhorar a vida de todos os envolvidos.

As boas notícias sobre a compreensão do que significa o TEA e as constantes novidades acerca de como trabalhar e "neuromodificar" os atrasos de desenvolvimento e os desvios de comportamento dessa

INTRODUÇÃO

condição estão cada vez mais presentes e constantes, tanto na comunidade científica quanto nos mais diversos grupos de intervenção especializados, abrindo novas perspectivas e auxiliando novas práticas para o dia a dia. O enriquecimento da rede multidisciplinar e o fornecimento às famílias de novas informações sobre como conduzir seus filhos com autismo motivam cada vez mais novas obras e novas pesquisas. Este livro é mais uma obra direcionada a compartilhar informações, e esperamos que possa ser utilizado para promover entre todos a divulgação do que há de mais atual sobre esse importante tema.

CAPÍTULO 1

ENTENDENDO A HISTÓRIA DO AUTISMO PARA ENTENDER OS CONCEITOS DE HOJE

HOJE EM DIA, estamos testemunhando uma ampla divulgação nas redes sociais, nas organizações médicas e na mídia em geral de informações sobre o autismo e suas características. Sem dúvida, somos privilegiados, pois, além da veiculação dos seus mais variados aspectos, temos a oportunidade de presenciar as mais diversas pesquisas e de vislumbrar a possibilidade de descobertas que podem mudar o rumo do tratamento.

Contudo, há mais de cem anos, nada se sabia sobre o autismo. Naquela época, os problemas de comportamento humano ainda causavam espanto e estranheza, e eram encarados como anomalias pela sociedade, e seus portadores eram colocados de lado ou isolados das demais pessoas. Pense em seu filho com autismo hoje e imagine como seria se ele tivesse nascido no início do século passado: provavelmente, teria sido colocado numa instituição, retirado do convívio com as pessoas ou até mesmo escondido dentro de sua própria casa. Nada se sabia sobre como corrigir os atrasos, lidar com a agressividade e tampouco direcionar com segurança um modo de condução de autistas.

Antes de o autismo ser descrito nos livros científicos, alguns relatos semelhantes de comportamentos curiosos e estranhos entre crianças já apareciam em textos folclóricos e contos de fada. Essas crianças teriam sido raptadas por fadas ou gnomos, que deixavam no lugar uma substituta fisicamente igual, mas com uma personalidade totalmente diferente. O rapto ocorreria bem cedo na vida da criança, mas a mãe não notaria tão rápido. Ela passaria a estranhar o comportamento da criança, pois ela não era mais afetiva, passava a gritar, ficar agressiva e a ignorar os pais. Essas histórias eram também observadas em vários países e tinham perfis similares, como mudança repentina de comportamento (geralmente no segundo ano de vida) e explosões verbais logo sucedidos por silêncio e perda de comunicação.

Com o passar do tempo, no final do século XVIII, crianças com comportamentos anormais, bizarros, que beiravam à loucura, já eram descritas e observadas por médicos, clínicos e pedagogos, e esses profissionais já começavam a distinguir, dentro da população com deficiência mental, os perfis estranhos. O primeiro a reunir e registrar informações acerca desses comportamentos foi o apotecário John Haslam (1764-1844), no livro *Observations on Madness and Melancholy* [Observações sobre a loucura e a melancolia], em que descreveu o caso de W.H., um menino de 7 anos que, depois de ser acometido de sarampo severo e varíola, apresentou hiperatividade, insônia e atraso global de desenvolvimento; também ficou agressivo e passou a cuspir nos outros. Internado no hospital, ele aumentou seu vocabulário com palavrões e não conseguiu se alfabetizar. A memória dele era excepcional, e a mãe relatava que ele gostava muito de assistir aos serviços religiosos, mas ignorava o sentido deles; mantinha-se distante de outras crianças e não brincava com elas; e tinha ecolalia (tipo de comportamento repetitivo no qual a criança simplesmente repete o que acabou de ser dito para ela), o que a impede de dar continuidade a um diálogo. Depois dessa descrição, vários outros autores das mais variadas áreas do conhecimento (médicos, professores, pedagogos, escritores etc.) começaram a publicar relatos com pessoas que tinham hábitos e formas de socialização com traços de autismo.

Em 1911, o psiquiatra Eugen Bleuler, ao descrever pacientes com esquizofrenia, observou que aqueles que tinham as versões clínicas mais severas apresentavam-se tão internalizados em si mesmos que denominou esse quadro mais grave como "autismo" (ou "para dentro de si mesmos"). Essa foi a primeira vez que o termo foi usado nessa acepção.

Todo esse processo culminou no que podemos dizer, sem exageros, que foi o início da história oficial do autismo: a publicação, em 1943, na revista *The Nervous Child*, do primeiro artigo científico que expôs suas descrições clínicas, de autoria do Dr. Leo Kanner. Kanner dizia que sempre se impressionou com o fato de que essas crianças eram muito diferentes e que ele precisava entendê-las, pois muitas delas, em sua opinião, tinham sido erroneamente vistas como "retardadas" ou esquizofrênicas, embora, na realidade, tivessem autismo.

A publicação descreveu com detalhes e preciosismo 11 casos de crianças com autismo (8 meninos e 3 meninas), com idades que variavam entre 2 anos e 4 meses e 11 anos. No artigo, Kanner expôs os sintomas e os sinais característicos, descreveu a inabilidade social, a incapacidade para assumir uma postura antecipatória numa interação social, a tendência ao isolamento e a uma excelente memória, e concluiu que as crianças com autismo vieram ao mundo com uma inabilidade inata (isto é, nascida com elas) para construir contato afetivo com as pessoas, assim como outras crianças que vieram ao mundo com determinadas deficiências.

Seu artigo desencadeou um movimento para validar e nomear esse padrão de características, e o autismo começou a ser denominado de autismo infantil precoce, autismo infantil, criança atípica e até

APRENDER A IDENTIFICAR CEDO O AUTISMO E A TRABALHAR CORRETAMENTE COM A CRIANÇA É A PRINCIPAL ESTRATÉGIA PARA PROMOVER OS AVANÇOS ALMEJADOS.

psicose infantil precoce. Nesse sentido, também, várias tentativas de explicação das possíveis causas e dos meios de avaliação foram surgindo, e, portanto, também várias teorias para compreendê-la, tais como a psicanalítica, a de comportamento operante, a neuropsicológica, a neurofisiológica, a de coerência central, a cognitiva e a relacionada à teoria da mente.

As primeiras teorias, como a psicanalítica, defendiam que o autismo era uma condição resultante da inadequada relação afetivo-emocional entre a mãe e o futuro bebê gerado pela ruptura precoce da ilusão de continuidade entre eles, levando a um desmantelamento e a uma angústia de aniquilamento. Confrontada com a realidade da separação de sua mãe e ainda sem condições para encarar de maneira estruturada esse processo, a criança passaria a assumir uma atitude defensiva extrema, "suspendendo" as diversas formas de vínculo mental com as pessoas. Esse tipo de interpretação teria muita lógica naqueles casos de autismo em que os sintomas começaram mais tarde e sem um fator desencadeante aparente – entre os 18 e 30 meses. Mesmo assim, esse subtipo de autismo, os do tipo regressivo, costumam evoluir para severas involuções (ou perda de habilidades) que são difíceis de serem explicadas puramente por processos emocionais.

Com o desenvolvimento dos estudos epidemiológicos, a experiência clínica acumulada pelos mais diversos grupos de pesquisa e de atendimento e a padronização cada vez maior dos sinais e sintomas do autismo, as teorias baseadas em possíveis causas de natureza emocional foram se enfraquecendo e se mostrando inconsistentes, dando cada vez mais espaço para um convencimento cada vez maior de que as causas do autismo residem, sim, numa base neurobiológica. Vários estudos iniciados e publicados nos anos 1970 e 1980 com portadores de autismo foram paulatinamente mostrando anormalidades

MENTES ÚNICAS

bioquímicas nesses pacientes, disfunções em determinadas áreas cerebrais, associações de sintomas entre gêmeos monozigóticos (com forte correlação genética), maior incidência de epilepsia, associação com intercorrências pré-perinatais, problemas de inconstância sensorial e a presença de síndromes e malformações cerebrais.

Muitos desses pacientes apresentavam, em seu histórico de vida, o início dos sintomas do espectro antecedido de surtos de crises epilépticas de difícil controle. Pais relatavam que o filho olhava nos olhos, cumprimentava e compartilhava brinquedos e que, depois das crises, passava a desviar o olhar, a ter estereotipias e tendia a se isolar das pessoas e de seus amiguinhos. Outros relatavam esses sintomas na criança depois de uma longa internação na UTI neonatal ou que ela tinha aspectos faciais e corporais anormais, associados a outros atrasos no desenvolvimento motor e na linguagem oral, sugerindo e, posteriormente, confirmando uma síndrome. Portanto, muitos pesquisadores começaram a se convencer de que a base do problema estava no cérebro e de que a fagulha era iniciada na genética.

AS TEORIAS BASEADAS EM POSSÍVEIS CAUSAS DE NATUREZA EMOCIONAL FORAM SE ENFRAQUECENDO E SE MOSTRANDO INCONSISTENTES, DANDO CADA VEZ MAIS ESPAÇO PARA UM CONVENCIMENTO CADA VEZ MAIOR DE QUE AS CAUSAS DO AUTISMO RESIDEM, SIM, NUMA BASE NEUROBIOLÓGICA.

CAPÍTULO 2

COMO O CÉREBRO FUNCIONA NO AUTISMO?

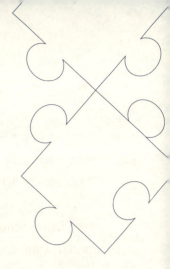

TODA CONDIÇÃO MÉDICA que afeta de maneira predominante o desenvolvimento psicomotor e o comportamento deve levantar a suspeita de que o problema reside no cérebro humano. Assim, para conhecer como e quando as alterações cerebrais acontecem, é preciso, em primeiro lugar, compreender quais habilidades cerebrais se encontram deficitárias e como elas normalmente se processam, para que possam se expressar no jeito de ser da pessoa típica e da atípica.

O cérebro humano é uma complexa rede organizada de funções e habilidades que concentra vários tipos de células neuronais, as quais centralizam as atividades especializadas em cada tarefa de nosso cotidiano. Graças aos neurônios, pensamos, agimos, interpretamos, sentimos, raciocinamos e identificamos tudo o que está em nossa volta. Nada seria percebido, memorizado, internalizado e raciocinado sem eles. Contudo, para que possam funcionar adequadamente com sentido e bom desempenho, os neurônios precisam ser sustentados e direcionados entre si pelas células gliais. Estas, além de garantirem uma arquitetura e uma base para se desenvolverem e amadurecerem, têm o encargo de armazenar, processar e literalmente limpar o lixo que se acumula em seu entorno depois de intensas e ininterruptas horas de trabalho.

Essa engenharia de apoio permite que o neurônio trabalhe sem interferências, livre para se ramificar e readaptar seu crescimento às

MENTES ÚNICAS

demandas e necessidades comandadas pela programação genética e pelos estímulos que vêm do ambiente externo. Se toda essa dinâmica já parece difícil num cérebro em fase de estabilidade, como é o do adulto, imaginem num indivíduo que se encontra em fase de efervescente desenvolvimento e plasticidade, numa fase de tremenda e constante modificação, como é o cérebro nos primeiros cinco anos de vida!

Pois bem, essa arquitetura deve se encontrar bem construída, modelada e conservada para poder funcionar plenamente. Além disso, as pontes, as ligações e as ramificações entre cada grupo de neurônios que se interligam devem estar bem conectadas. Os grupos de neurônios responsáveis pela entrada de estímulos (os que se destinam a perceber e interpretar o que recebem, aqueles que precisam entender cada detalhe e cada imperfeição, assim como os que se especializaram em memorizar ou executar resultados) somente a fazem se todos estiverem harmonicamente orquestrados. Isso garante que o conjunto chegue ao seu principal objetivo: processar de maneira eficaz e sem defeitos ou deformidades as informações que chegam e possa responder, a seu tempo e a seu modo, mas sempre sincronizadamente, todas as formas de tarefas e de processos sociais do ambiente em que esse cérebro vive. Isso é o que podemos afirmar de um cérebro típico, normal, adaptado para nossos parâmetros de vida.

No cérebro autista, essa arquitetura se encontra desorganizada e apresenta uma modelagem anormal, impedindo que o funcionamento seja pleno. As pontes, as ligações e as ramificações se encontram incompletas, desviadas, ora ativadas, ora desligadas, com conexões ora perdidas, ora sobrecarregadas. As funções de cada grupo de neurônios se encontram desbalanceadas, com "hiperfuncionamento", dependendo do interesse desse cérebro, e disfuncional para o que não interessa. O conjunto, portanto, não consegue processar direito as informações, pois tudo fica dessincronizado, e ele pode demorar para realizar as tarefas e os processos sociais do ambiente, ou, por outro lado, pode agilizá-los demais. O resultado: um cérebro atípico e pouco adaptado às necessidades exigidas pelas relações sociais, independentemente da idade.

O autismo é um transtorno de desenvolvimento que afeta de maneira decisiva e predominante nossa capacidade de percepção social. A percepção social é uma propriedade do cérebro responsável por permitir que consigamos reconhecer, elaborar, antecipar, processar e responder de maneira adequada e harmoniosa a um contexto e/ou um contato social. Graças a essa habilidade, quando chegamos a uma reunião ou confraternização com outras pessoas, antecipamo-nos, preparando-nos para os assuntos que serão falados, escolhendo a roupa adequada, imaginando quem provavelmente estará lá, como nos portar, quais assuntos serão abordados. Ao chegar, reconhecemos a maioria, nos aborrecemos com uns e nos alegramos com outros, nos lembramos com alguns de momentos passados, fazemos comentários equilibrados, percebemos intenções, esperamos a vez para falar e reconhecemos que as luzes, os barulhos e os contatos visuais, auditivos e táteis estão de acordo com o contexto do local.

A percepção social depende de várias regiões do cérebro interconectadas graciosamente, cada uma responsável por uma função contribuinte. Essas regiões processam reconhecimento de face humana, linguagem social (verbal e não verbal), análise emocional, estímulos sensoriais e funções executivas para organizar, sequenciar e integrar todas elas. No cérebro autista, essas funções e as regiões responsáveis se encontram desconectadas e desarranjadas em sua arquitetura. O resultado vai desde uma dificuldade inata de perceber as pessoas no ambiente até uma deficiência na interpretação do que elas representam – qual o próprio nome, em que contexto se encontra na vida desse indivíduo (familiar?

estranho?) –, ocasionando uma dificuldade extrema para lhes responder empaticamente e seguir as regras e as convenções sociais.

Vários artigos mostram que no cérebro autista existe uma grande desorganização de microcolunas do córtex cerebral; desativação ou apagamento de regiões específicas para o reconhecimento de faces, linguagem social etc.; alteração no aspecto do neurônio quando analisado anatomopatologicamente; aumento do volume total do cérebro por falha na poda neuronal; maior concentração de determinados neurotransmissores no liquor do Sistema Nervoso Central (serotonina, ou 5-HT, e GABA). Autores têm relatado desconexões entre estruturas de integração no cérebro (região caudal do giro cingulado anterior), com áreas límbicas e não límbicas ligadas à interpretação das emoções (como opérculo, ínsula, giro pós-central, giros temporal superior e médio). Em nosso cérebro, durante a fase de desenvolvimento, passamos por momentos de morte programada e previsível de neurônios a cada semestre ou ano nos primeiros cinco a seis anos de vida. Tal morte é necessária para que se possa abrir espaço para novas conexões e vias mais adaptadas, para que o funcionamento cerebral se remodele e se abra a novos estímulos e sensações mais condicionados às idades subsequentes, em que novas habilidades são essenciais para que a criança dê saltos adaptativos e de avanço. Chamamos esse processo de "destruição criativa" de **poda neural**. Se essa poda não ocorrer, o processo evolutivo sofre uma interrupção, podendo levar a uma regressão na aquisição de habilidades. Muitas dessas alterações surgem de anormalidades que ocorrem em momentos decisivos do desenvolvimento cerebral ainda desconhecidos e levam a alterações funcionais permanentes. É o que pode acontecer no autismo, especialmente no subtipo de regressão, em que os sintomas aparecem mais tarde, entre 1 ano e 3 anos. Nesse contexto, uma das proposições no campo de pesquisa que vem tentando formular explicações para essas eventualidades é a Teoria da Poda Neural. De acordo com essa teoria, a poda, por algum motivo, não ocorre, e a criança perde funções antes aprendidas por congestionamento gerado por conexões inúteis. Esse fenômeno pode, inclusive, resultar em aumento de volume cerebral, pois leva à permanência de estruturas que deveriam desaparecer; isso explica por que muitos autistas têm macrocefalia relativa.

Nos últimos anos, surgiram várias informações, e muitos psicólogos, no campo da pesquisa, enquadraram as alterações comportamentais do autismo em três grandes teorias, cada uma representando um eixo de funcionamento no cérebro para perceber socialmente as coisas que acontecem. São elas: **disfunção executiva**, **coerência central** e **teoria da mente**.

A **disfunção executiva** é a incapacidade ou a inabilidade de cumprir tarefas ou combinados sociais de maneira organizada, planejada, percebendo os detalhes importantes, corrigindo imperfeições, analisando-as sempre em sintonia com o contexto, de modo que sejam feitas de forma coerente e agradável. A teoria de **coerência central** consiste na capacidade de o cérebro interpretar uma situação toda a partir de uma parte dela, conseguindo, automaticamente, avaliar um processo sem ver todos os detalhes envolvidos. Na **teoria da mente**, por sua vez, temos instintiva e intuitivamente a capacidade de perceber, avaliar e concluir as coisas, sempre considerando o que os outros pensam e sentem, colocando-nos no lugar deles, ou seja, sendo empáticos em todo e qualquer momento.

As pessoas típicas têm esses eixos preservados e em pleno funcionamento. Nos autistas, contudo, eles se encontram incompletos ou ausentes. Apesar de diferentes, devem ser entendidos como intercalados e interpostos, unidos, e, se alterados, acarretam o mesmo problema: um **"jeito autista"** de ver e entender o que acontece no mundo e

O CÉREBRO HUMANO É UMA COMPLEXA REDE ORGANIZADA DE FUNÇÕES E HABILIDADES QUE CONCENTRA VÁRIOS TIPOS DE CÉLULAS NEURONAIS, AS QUAIS CENTRALIZAM AS ATIVIDADES ESPECIALIZADAS EM CADA TAREFA DE NOSSO COTIDIANO.

nas relações com as pessoas, e que pode variar muito de acordo com a intensidade e a amplitude da anomalia, afetando mais ou menos cada um desses eixos. É por esse motivo que muitas pessoas com autismo têm intensidades maiores ou menores do espectro ou perfis em que ora a linguagem é mais afetada, ora é o comportamento, ora são os dois; ou, ainda, em que é mais afetado o equilíbrio mental de autocontrole para se manter estável nas relações sociais dia após dia.

As anormalidades descritas aqui podem levar às mais diversas alterações na expressão de como esse cérebro sente, processa, responde e se socializa. Não obstante, pode também levar a distúrbios sensoriais, executivos, visuoconstrutivos, perda de coerência no contexto e numa circunstância, problemas de linguagem e anormalidades na capacidade de interpretar processos que envolvem o entendimento de tudo o que é social. No entanto, como você deve ter percebido, existem vários tipos de mau funcionamento e uma grande diversidade de processos anormais que levam ao autismo, e eles vão desde disfunções bioquímicas e conectivas até problemas estruturais e anatômicos. O grau de presença e de interface de uns e de outros variam muito de autista para autista, o que explica, em grande parte, a extrema variabilidade de apresentação dos primeiros sinais clínicos, as formas distintas de evolução, a resposta variada a intervenções, desfechos distintos ao longo da vida e a enorme heterogeneidade clínica. E qual é origem de tudo isso?

Genética × ambiente: onde está o culpado?

O estudo das origens do comportamento humano remonta a mais de um século, porém as maiores certezas acerca de como ele se origina e se processa são bem mais recentes, com seu auge iniciado nos anos 1990. Hoje, sabemos que tanto fatores genéticos quanto ambientais participam da formação e das características dos mais diferentes meios de expressão de nosso comportamento, seja ele normal, seja ele patológico.

A participação ora mais genética ora mais ambiental varia de acordo com a condição e o nome do transtorno. Quadros neuropsiquiátricos como o Transtorno de Déficit de Atenção com Hiperatividade (TDAH), a deficiência intelectual, a esquizofrenia e o transtorno bipolar são predominantemente de natureza genética, herdados e com forte história familiar. Em contrapartida, transtornos depressivos, de ansiedade e opositivo-desafiadores, e os de conduta são marcadamente afetados pelas adversidades do ambiente. No caso do autismo, as mais recentes pesquisas demonstram um predomínio genético marcante.

É impressionante a correlação entre a presença de sintomas autísticos e a história familiar de traços desse espectro em parentes de primeiro grau, especialmente nos de sexo masculino: pais com perfis antissociais que preferem se isolar a participar de festas ou confraternizações familiares, relatos frequentes de avós ou tios que tinham características parecidas com seu filho ou neto autista, um tio estranho que nunca saía de casa, falava sempre sobre as mesmas coisas e tinha interesses exagerados em atividades ligadas à astronomia. Vemos, especialmente em autistas leves – mais especialmente no seu subtipo mais famoso, o transtorno de Asperger –, um padrão de herança relacionado a esse tipo de comportamento.

Nos últimos quarenta anos, várias evidências vêm demonstrando que o autismo pode ser resultado de inúmeros tipos de herança e de maneiras de transmissão genética. Em 90% dos casos, o envolvimento dos genes está presente na expressão dos sinais e sintomas. Comumente, os sintomas de autismo estão também associados a síndromes, gêmeos monozigóticos, dimorfismos físicos e casos em que não se acham

COMO O CÉREBRO FUNCIONA NO AUTISMO?

as causas, mas que o quadro vem em associação com a presença dese-quilibrada de cópias de genes (em duplicação ou deletados) espalhadas pelo genoma. Mesmo assim, mais de 60% dos casos podem permanecer sem uma causa definida.

Muitas síndromes têm íntima associação com autismo, como: X-Frágil, Prader-Willi, Angelman, Williams-Beurer, síndromes associadas ao gene PTEN, Down, síndromes de microdeleções, Sotos, esclerose tuberosa, neurofibromatose tipo 1, Moebius, Charge, Cornelia de Lange etc. Além disso, é comum o TEA estar intimamente relacionado aos genes das neuroliguinas 3 e 4, neurexina 1, anquirina, protocaderina, contactina, PCDH10, NHE6, A2BP1, UBE3A, EN2, 5-HTT, MET, SCN7A, RNF8, entre outros menos importantes, e às síndromes metabólicas (fenilcetonúria, histidinemia, distrofia muscular de Duchenne e Becker, doença celíaca etc.).

Nesse contexto, alguns fatores podem contribuir para mais ou para menos na expressão desses "genes do autismo": a criança ser do sexo masculino, o primeiro filho ter autismo e ser do sexo feminino (o que eleva o risco em duas vezes) e a correlação combinada de todos os outros fatores.

Até mesmo com a presença de tantos genes associados e descritos junto ao TEA, a avaliação genética é muito complexa, difícil, quando definem-se muito bem os motivos e as justificativas clínicas e familiares. Uma boa avaliação realizada por uma equipe ou por profissionais experientes pode chegar ao diagnóstico de autismo sem precisar passar pela necessidade de se pedirem exames desnecessários. Lembrando sempre: **o diagnóstico de TEA é clínico e de observação do comportamento, e, se os exames genéticos estiverem normais, em nada mudarão o diagnóstico de autismo**, pois apenas 15% desses pacientes costumam dar positivo para alguma dessas mutações ou síndromes. Então, se uma criança tem síndrome de Down, ela pode ter também, ao mesmo tempo, o diagnóstico de autismo, e isso vale para qualquer outra síndrome de nome diferente, seja ela qual for.

A avaliação genética apenas serve para averiguar a possibilidade de, associadamente ao autismo, a criança também ser portadora de uma mutação ou anomalia genética; de orientar o casal caso desejem outro filho – pelos riscos de virem a ter outra criança com a mesma mutação; de ampliar a abordagem terapêutica tratando não somente o TEA, mas também a eventual síndrome, a qual pode levar a problemas físicos, internos ou aumentar os riscos de novas doenças.

Outro fator interligado ao maior risco de desenvolver autismo é a maior incidência de nascimento dessas crianças em pais com idade superior aos 40 anos. Atualmente, muitos deixam de se casar e ter filhos cedo para se dedicar ao trabalho, à carreira, aos processos de especialização, à espera de uma maior consolidação da relação afetiva e da estabilidade financeira, sem contar os que se separam e formam novo núcleo familiar já em idade avançada, tendo mais filhos com um(a) novo(a) parceiro(a). O motivo: o envelhecimento dos espermatozoides e dos óvulos aumenta os riscos de mutação genética e de erros fortuitos nas fases sequenciais da união entre ambos. Esses erros ou deslizes podem ocasionar desarranjos de genes com falhas, levando a duplicações e deleções pontuais.

A interligação genética entre os transtornos neuropsiquiátricos e o autismo e a presença conjunta de comorbidades no quadro clínico do autismo também jogam luz sobre as pesquisas, as quais vêm demonstrando que podem existir genes em comum entre essas condições, bem como uma relação de risco entre elas. A experiência clínica no consultório tem mostrado que pais e familiares com história pregressa de TDAH, transtorno bipolar, esquizofrenia, depressão e deficiência intelectual costumam ter mais relatos de autistas na família, e normalmente muitos pais têm confessado que estão se tratando de alguma delas ao levarem o filho ao médico.

Quanto aos aspectos ambientais, muitos fatores têm sido estudados nas quatro últimas décadas como possíveis desencadeadores do espectro. Desde fatores de intercorrências perinatais até disfunções imunológicas e autoimunes, passando por intoxicações por metais pesados, produção intestinal de polipeptídeos, neurodepressores, alimentos ou componentes inflamatórios. As evidências científicas apenas confirmam, neste momento, que a prematuridade e o baixo peso ao nascer são fatores predisponentes e que elevam os riscos. Os outros citados ainda estão em fase de análise e precisam ser mais bem esclarecidos no que diz respeito a "como" eles poderiam dar o "gatilho" para iniciar o processo autístico e quais seriam as crianças e o subtipo de autistas que abririam espaço em seu cérebro para se tornarem vulneráveis a eles.

Nessa mesma linha de pensamento, componentes alimentares como o glúten, a caseína, a lactose e a soja não causam nem desencadeiam o autismo. Não existe, até o momento, nenhuma evidência comprovando isso. Em contrapartida, até 30% dessas crianças podem apresentar intolerâncias, alergias ou piora clínica com a utilização desses componentes, e, em tais casos (somente em tais casos!), indica-se a restrição deles, pois essa conduta pode contribuir para reduzir a hiperatividade, a agressividade, os problemas no sono e a obstipação intestinal ou diarreias.

Outros fatores do ambiente que têm chamado atenção e apresentam alguma correlação com o aumento da incidência do autismo são: obesidade adquirida durante a gestação, lúpus materno, pré-eclâmpsia no final da gravidez e história materna de abortos espontâneos. Eles ainda não são considerados fatores de risco, mas há publicações que destacam o aumento da incidência nesses perfis populacionais e recomendações para se aprofundarem as investigações e as pesquisas.

    Outro tema que preocupou muito as famílias no início deste século foi a suspeita de que as vacinas tivessem relação com o aparecimento do espectro nas crianças que regularmente eram submetidas às campanhas. Muitos pais e até profissionais da área da saúde chegaram a acreditar que sintomas regressivos de desenvolvimento que ocorriam exatamente entre os 18 meses e os 2 anos e meio pudessem ser desencadeados por um "clique" autoimune do componente ativo da vacina ou pelo veículo normalmente adicionado ao volume vacinal, o timerosal. Publicações oriundas de pesquisas do gênero em revistas internacionais de renome, como *The Lancet*, chegaram a concluir que as vacinas desempenhariam um papel crucial no aparecimento dos sintomas e no aumento da incidência de autismo em crianças. Muitas famílias passaram a não mais vacinar seus filhos, e a comunidade pediátrica se alvoroçou, levando muitas crianças a se tornarem vulneráveis às doenças que outrora foram efetivamente controladas pelas imunizações preventivas. Nos Estados Unidos, epidemias de sarampo voltaram com força a assombrar essas populações, e parte das crianças morreu ou desenvolveu sequelas. Pesquisas foram iniciadas e novas conclusões afastaram, em definitivo, a ideia de que vacinas causam ou ativam fatores que levam ao autismo. A própria revista citada há pouco se retratou e se desculpou após rever os dados erroneamente publicados, reconhecendo falhas na análise estatística da pesquisa, que não foram percebidas pelos seus revisores. Aos nossos leitores, fica a mensagem: definir uma causa que venha do nosso ambiente para iniciar uma doença é extremamente difícil e requer uma ampla e vasta análise que pode ocupar décadas; sem a devida cautela, isso pode ocasionar erros imensos no direcionamento das pessoas, e essas decisões podem prejudicar

**O CONSENSO HOJE ESTÁ BEM
ESTABELECIDO E COMPROVADO:
VACINA NÃO CAUSA AUTISMO!**

milhões. Enfim, o consenso hoje está bem estabelecido e comprovado: vacina não causa autismo!

Num mundo cada vez mais sintonizado com as preocupações acerca do aumento do número de crianças com autismo e o impacto que ele mesmo leva a uma sociedade cada vez mais conectada, é natural que busquemos de maneira incessante o que poderia estar contribuindo para essa explosão. Naturalmente, é de suspeitar que o uso de venenos/defensivos agrícolas possa ser responsável por isso. Vários pesquisadores vêm se debruçando sobre o tema há mais de duas décadas, e os resultados das pesquisas ainda são duvidosos e desencontrados. O mesmo se pode afirmar acerca dos aditivos, estabilizadores, conservantes e corantes aplicados nos alimentos e nos produtos que exigem conservação a longo prazo e que ingerimos todos os dias. Ninguém se nega a reconhecer que esses recursos tecnológicos e artificializados têm um papel importante na oferta de alimentos, na segurança alimentar e na sustentabilidade, mas é uma preocupação cada vez mais crescente e difusa entre especialistas a possibilidade de esses itens levarem a problemas no desenvolvimento cerebral infantil que ainda são obscuros e incertos e de que os governos devem investir mais em pesquisas do gênero, resistindo aos *lobbies* de ocasião.

Enquanto as certezas ainda estão em construção e muitas pesquisas em andamento, pode-se afirmar seguramente que os fatores genéticos predominam como desencadeadores dos TEA: história pregressa de autismo na família – ter irmãos ou primos autistas –, hereditariedade, mutações, cópias de genes e associação genética com transtornos de neurodesenvolvimento e neuropsiquiátricos. Em relação aos fatores do ambiente, os riscos comprovados são o nascimento prematuro (especialmente antes das 35 semanas) e o baixo peso ao nascer (abaixo de 2,5 quilos), e ambos são hoje reconhecidos pelos

Departamentos de Saúde do Reino Unido (NICE) e dos Estados Unidos (NIHM). A idade dos pais acima dos 40 anos contribui, mas dentro de uma interface que envolve tanto fatores genéticos como ambientais, visto que a maternidade ou a paternidade tardia é um fenômeno social bem característico dos dias atuais.

CAPÍTULO 3

IDENTIFICAR O ESPECTRO: SUSPEITAR PARA INTERVIR E NÃO PARA ESPERAR

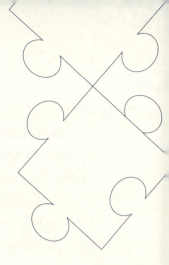

ANTES DE INICIAR este capítulo, gostaríamos de apresentar muitas frases curiosas e reveladoras que costumam surgir durante as consultas e que, ao final do processo de investigação, acabam resultando no diagnóstico definitivo de autismo. Certamente, você vai se ver em muitas delas, pois são mais comuns do que podemos imaginar. A intenção não é, de maneira alguma, ridicularizar, mas, ao contrário, sensibilizar a todos para que, ao se deparar com uma criança que apresenta comportamentos adversos ou atrasos de desenvolvimento, não tome as mesmas atitudes. Um sinal pode significar **algo mais** do que apenas o mais do mesmo ou que uma hora vai haver um "clique" e a criança vai melhorar.

Mãe "providencial": identificou sozinha e levou para atendimentos

Ela já tinha estranhado que a filha não olhava nos olhos dela. Na mamada, em seu seio, ela desviava os olhos para os lados. Ao ser chamada, não respondia nem com o olhar, tampouco com um sorriso ou sinal de estranhamento. Com 10 meses, chorava demais e queria ficar, de maneira muito insistente, brincando somente com as mãos e sorria para o nada. Não respondia a gracejos, piscadinhas e ignorava gestos de tchau, beijos, risadinhas... Aflita, ela ficou preocupada. Foi pesquisar na internet e, ao ver um vídeo nosso sobre os primeiros sinais de autismo, vaticinou: ela tem!

No dia seguinte, mesmo ansiosa, procurou a equipe da Associação de Pais e Amigos dos Excepcionais (APAE) de sua cidade, que acolheu a criança e começou a intervir nesses atrasos. A criança, em sete meses, teve uma melhora enorme! Procurou o especialista que confirmou a suspeita e relatou que sua atitude foi essencial para o avanço verificado no desenvolvimento de sua filha.

Mãe revoltada: migração inútil

Ninguém conseguia tirar da cabeça dela que o filho tinha autismo. Os sinais eram claros e, inconformada, tentou convencer o terceiro pediatra e, depois, o primeiro neurologista infantil a que recorreu para que alguém pudesse "bater o martelo" e iniciar algum tratamento. O neuro disse: "Seu filho é assim mesmo, e ele vai acabar melhorando". Ela: "Mas como, doutor? Ele sequer conversa comigo! Meu filho mais velho não era assim! Ele não tem autismo mesmo?". O neuro respondeu: "Minha senhora, o diagnóstico de autismo somente se faz depois dos 6 anos. Vamos observar e, se ele continuar assim, a senhora retorna".

Tia pedagoga: quem não deseja ter uma em sua vida?

"Meu sobrinho é estranho. Há meses, venho verificando que ele tem um comportamento muito peculiar: brinca apenas enfileirando e rodando objetos e não aceita interferências. Quando tentei, em várias ocasiões, interagir e intervir, ele gritava, irritava-se e voltava para a sua rotina. Como sou pedagoga, estudo e faço cursos com frequência, tive a oportunidade de ter aulas sobre o espectro autista. Além disso, dou aulas há anos e conheço comportamentos infantis que preocupam, e estou convencida de que ele tem! Alertei a mãe, minha irmã, mas ela nem quis ouvir. O pai ficou revoltado e não quis mais falar comigo. Conheci um neuropediatra pela internet e lhe enviei uma mensagem por rede social descrevendo meu sobrinho. Ele me retornou dizendo que o quadro era muito sugestivo de autismo. Mostrei aos pais e, naquele momento, resolveram procurar ajuda especializada."

Uma mãe assistiu ao vídeo e...

Sempre antenada e ligada nas novidades da web, ela, mãe de três filhos, sempre buscou assistir a vídeos educativos a fim de adquirir mais conhecimento para conduzir as crianças do modo mais adequado possível. Ao se deparar com um vídeo falando sobre o autismo, ela ficou assustada e chorou. Não podia acreditar. Acabava de descobrir que o filho tinha todos os sinais!

"Mas como? Ele abraça, sorri, fica entre as pessoas, vai a festas, estuda e tem boas notas... Será??? É, mas, pensando bem, ele realmente não olha nos olhos, tem um discurso mecânico, meio repetitivo. Há assuntos que muitas vezes não têm nada a ver com o que conversamos e, quando um tema não lhe interessa, ele simplesmente sai e nos deixa falando sozinhos. Tem hábitos que o isolam e parece uma pessoa fria... ele não se emociona com as pessoas. Vive falando das coisas, querendo sempre explicar com detalhes técnicos tudo o que aparece pela frente, e isso parece até engraçado! Tadinho, fica boiando nas piadas, e quando tiramos sarro dele..."

Continua ela: "Levei-o ao médico especialista e após testes ele diagnosticou meu filho com transtorno do espectro autista, **mas bem leve**, e que, por isso, passara despercebido por todos nós".

O professor que vale por dez!

"Um professor curioso vale por dez professores", dizia o diretor de uma das escolas em que estudei muitos anos atrás. Sempre achei a frase um pouco exagerada, mas um dia mordi minha língua. Recebi no consultório um adolescente acompanhado de sua mãe. Ele insistia em dizer que não sabia o que estava fazendo ali, pois achava que a "propedêutica daquele professor estava equivocada". Logo de cara estranhei a frase, a qual saíra da boca de um garoto de 14 anos! Perguntei à mãe o que ela achava do encaminhamento do professor, se ela via exagero ou se concordava. A mãe concordou e disse que sempre achou o filho um pouco estranho, mas, como nunca ninguém havia levantado nenhum estranhamento semelhante, e o jovem tinha bom rendimento na escola, ela resolveu deixar como estava. Até que um dia o professor chegou até ela e afirmou sem titubear: "Minha senhora, acho que seu filho tem Asperger!". "Mas como assim?", disse, assustada. "Além de todos os dias ele vir com o mesmo tipo e cor de camisa, e de ter o hábito de arrumar seus pertences na carteira de maneira meticulosamente simétrica e em sequência de cores, ele diariamente fica me interrompendo e dizendo que acha minha propedêutica equivocada. E é assim todos os dias..."Apesar dos equívocos, o professor acertou: a investigação confirmou Asperger. Esse realmente vale por dez!

Minha pediatra entendeu meu filho

"A pediatra de meu filho o acompanha desde que ele nasceu. Sempre achei meu bebê quieto demais e recebia elogios dos parentes por causa de sua docilidade. Com um filho tão bonzinho e sereno, eu podia ficar grávida de novo, e de novo... Mas foi exatamente essa tranquilidade, essa doçura de comportamento que chamou atenção da pediatra quando ele tinha 1 ano e meio. Preocupada, ela resolveu aplicar uma escala chamada M-CHATTM e viu que ele estava com pontuação de risco para autismo. Ela me disse que verificou que meu bebê não olhava nos olhos, não respondia quando chamado pelo nome e não conseguia brincar com outras crianças. Então, ela resolveu encaminhá-lo a um neuropediatra para confirmar a possibilidade. Mas como pode? Como eu não tinha percebido?

Ora, veja, essa mansidão toda, essa atitude tão quietinha, tinha então um motivo. A pediatra suspeitou que algo não estava bem e, enfim, entendeu o que meu filho tinha."

Participei de um curso e depois comecei a ver que meu primo podia ter autismo

"Comecei um curso em fevereiro deste ano. Como pedagoga, sempre achei que precisava melhorar minha formação na avaliação dos problemas de aprendizagem infantil. Durante o curso, tive a oportunidade de assistir a uma aula sobre autismo, seus sinais e dificuldades, e levei um susto no momento em que ela terminou! Na hora, veio em minha mente a imagem de meu primo, que mora do lado de casa! Agora entendo por que ele é tão inteligente, fala coisas bem diferentes, explica tudo tão detalhado e somente se preocupa com os pormenores de determinados assuntos. Raramente participa de festas, não gosta de reuniões e não sorri muito. Tadinho... achava que ele era infeliz, depressivo... Será que seus pais nunca perceberam? Com tudo isso, orientei seus responsáveis a procurarem um especialista, e a equipe dele fechou o diagnóstico de um autismo bem leve."

Lembra do seu avô, meu querido? Ele não era nada social e desviava o olhar.

"Somos pais de um garoto de 9 anos. Ele sempre preferiu ficar sozinho. Muitas vezes, eu o chamava e ele nem sequer atendia. Quando bem pequeno, ficava o dia todo rodando tudo o que pegava na mão, inclusive aqueles brinquedos que nada tinham a ver com o ato de rodar... Demorou tanto para falar e somente conseguiu aos 4 anos. Fomos num especialista, e ele fechou o diagnóstico. Nas perguntas que ele fez comecei a ver vários sinais que não enxergava. Meu marido foi contra, não acreditou: 'Esse médico é louco! Só vê doença... Vou procurar outro!'. Dentro do consultório

mesmo, ao ouvir essa frase, o médico perguntou: 'Alguém mais na família tem esse jeito de agir?'. Num estalo, eu disse: 'O avô do meu marido! Lembra do seu avô, meu querido? Ele não era nada social e desviava muito o olhar!'. O médico logo comentou que é muito comum a presença de pessoas com autismo na família. Naquele momento, meu marido caiu em si! Ele se convenceu de que seu avô era mesmo muito estranho e evitava sempre contato com as pessoas de casa e da família. Porém, naquela época, quem sabia o que era autismo? Ninguém falava disso. Enfim, os testes foram feitos, e concluiu-se o diagnóstico.

Meu filho, doutor, não sei se ele tem, não, mas o pai...

"Numa conversa, durante a consulta, ao revelar vários comportamentos que meu filho tinha, o médico disse que ele possuía alguns sinais que lembravam muitos quadros de autismo. Na dúvida, ele o encaminhou para a aplicação de testes. Fiquei muito preocupada e apreensiva com a possibilidade do diagnóstico, mas fui em frente. Nas consultas com a psicóloga, ao ouvir dela tantas perguntas, com tantos detalhes, dei-me conta: meu marido tinha tudo aquilo! Ali, entendi sua frieza e por que nunca olhava muito nos meus olhos... 'Meu Deus! Meu marido tem autismo.' Naquela hora entendi por que não ficava em festas e vivia compulsivamente retirando etiquetas das roupas por sentir intensa repulsa e incômodo exagerado! Tinha tantas e tantas manias que não mudavam havia mais de quinze anos juntos. Com esse relato, a psicóloga resolveu aplicar os testes de autismo para adultos, e, veja só, ele tem mesmo autismo."

Sempre desconfiei, mas os médicos diziam que eu queria ver doença no meu filho...

A consulta começa assim: "Doutor, resolvi marcar a consulta porque, definitivamente, tenho certeza que meu filho tem autismo! Não tenho nenhuma dúvida disso, porque vejo que ele tem todas as características. Vi seus vídeos, li livros sobre o assunto, tenho passado por situações cada vez mais difíceis com ele e não estou suportando mais essa situação. Preciso saber como lidar com ele, mas preciso saber: ele é assim mesmo, é o jeito dele ou tem algo que o impede de conseguir entender e corrigir suas loucuras? Preciso saber!". Ao conversar com essa mãe, ela me relatou que o filho, de 7 anos, ainda não falava nada, não conseguia sequer iniciar ou manter um diálogo e por diversas vezes na consulta ele ficava repetindo os mesmos gestos, evidentes estereotipias. (Diagnóstico fácil de fazer: autismo clássico. Quadro severo. Apesar de ainda inconclusivo pelo seu histórico, vinha com suporte de fonoaudiólogo e psicólogo há mais de três anos!) Eu não conseguia acreditar: a família já tinha passado pela avaliação de quatro médicos (dois pediatras e dois neurologistas infantis), e um deles, o último que visitou, pasmem, disse à mãe: "Minha senhora, por que você procura tantos médicos? A senhora quer porque quer ver doença no seu filho, não é mesmo? Isso virou modismo! A senhora está vendo demais!".

Seu filho é assim porque é mimado. A senhora não dá limites.

Em outra consulta, a mãe, desesperada, incrédula e irritada, começa a dizer: "Doutor, sou uma boa mãe. Mas as pessoas ficam a todo momento falando que eu mimo demais meu filho. Inclusive, dois médicos já disseram isso para mim e concluíram a consulta dizendo que ele é assim porque não dou limites. Não é possível isso, doutor. Essa teimosia vem dele mesmo, ele é difícil, não quer fazer nada que peço e costuma ficar repetindo que quer todos os dias aquele brinquedo, fala só dele o dia todo, e, quando lhe dou ordens, ele fica dizendo que somente cumpre ordens vindas da magia de seu relógio. Explode fácil, me bate, joga coisas em mim e nem sequer me olha na hora de conversar comigo. Ele não me *respeita...". Vejo a criança e ela tem sinais claros de autismo. Após os testes, é confirmada a suspeita. Com o tratamento, ela melhorou muito, e o "mimo" desapareceu.*

Seu filho não tem nada. Olha como ele é lindo, perfeito! Aff... aquele doutor só vê doença nas crianças!

Depois de o filho ser avaliado por um especialista, que o diagnosticou – sem nenhuma sombra de dúvida – como autista, a mãe foi recomendada por ele a procurar alguns profissionais e, entre eles, determinada psicóloga. A mãe, entretanto, procurou outra. Essa psicóloga não foi a primeira opção do especialista ao encaminhar a criança, mas, como a mãe a conhecia por indicação anterior, resolveu levá-lo até ela. Ao ler o relatório médico, a profissional olhou para a mãe e disse, sem hesitar: "Seu filho não tem nada. Olha como ele é lindo, perfeito! Aff... aquele doutor só vê doença nas crianças!". Irritada com o especialista, a mãe não voltou ao consultório dele e procurou outro médico, que seguiu a opinião da referida psicóloga. Passados sete anos, a mãe voltou ao especialista e, constrangida, desculpou-se. Disse que errou e que agora precisava muito de uma ajuda especializada para poder lidar com os graves distúrbios de comportamento do filho autista (segundo ela mesma).

Qual o papel de quem avalia uma criança?

Quando buscamos um médico, estamos angustiados com alguma coisa e ressabiados com a possibilidade de recebermos, após a avaliação, uma má notícia. Faz parte do trabalho do profissional a missão de chegar a um diagnóstico, e algumas vezes ele pode ser realmente preocupante. Muitos pacientes, portanto, evitam procurar a avaliação médica por causa do temerário diagnóstico ou por não desejarem ser medicados.

IDENTIFICAR O ESPECTRO: SUSPEITAR PARA INTERVIR E NÃO PARA ESPERAR

Mesmo assim, na área médica responsável por crianças e adolescentes, os pais, apesar das preocupações, tendem a levar seus filhos e, sendo feito um encaminhamento para uma avaliação especializada, em geral não se negam a buscá-la. Entretanto, há casos e situações em que os pais acabam não levando os filhos para tal avaliação, pois obstáculos culturais, mitos, ideias equivocadas e falta de conhecimento aparecem em comentários no ambiente familiar ou em avaliações de outros profissionais que já examinaram a criança. Esse desconhecimento generalizado, associado a muitas *fake news*, acaba desestimulando a busca pela avaliação mais especializada, o que faz uma enorme diferença na resposta ao tratamento de crianças com autismo.

Ao procurar um(a) profissional para avaliar ou triar rotineiramente seu filho, os pais ou cuidadores esperam alguém com um perfil diferenciado. O que isso significa? Que quem avalia uma criança deve ser, antes de tudo, um indivíduo preparado para separar muito bem dados significativos de não significativos nos relatos dos cuidadores da criança; deve conhecer profundamente as etapas de desenvolvimento infantil e seus eixos de avaliação (motor, linguagem, social, adaptativo e emocional); deve entender as inter-relações existentes entre desenvolvimento, aprendizagem e comportamento; deve saber, dentro de sua especialidade, aspectos de outras áreas afins que afetam habilidades que são normalmente avaliadas em sua área (por exemplo, quando falamos em **atraso de fala**, pensamos automaticamente na fonoaudiologia; mas esse atraso pode ocorrer por motivos especificamente relacionados a outras áreas, como o TDAH, que faz parte do campo da neurologia. Portanto, **fonoaudiólogos devem saber mais sobre o TDAH, mesmo não sendo neurologistas**, e sobre os efeitos dele nos processos da linguagem, assim como pediatras e neurologistas devem saber mais sobre atraso de fala.

Mas o principal, porém, vem agora: nós, profissionais, devemos exercitar a arte da **empatia**. Essa forma de encarar as relações humanas está renascendo no meio profissional e, portanto, é cada vez mais exigida em nossa prática. Empatia significa colocar-se no lugar do outro, sentir e perceber o que o outro sente, sensibilizar-se com seu sofrimento e querer ajudar ou facilitar para promover o melhor possível a curto, médio e longo prazo na vida das pessoas que dependem de sua avaliação e de sua orientação. Médicos experientes e os principais expoentes das especialidades médicas têm relatado que a prática clínica se baseará em três pilares nos próximos anos: a multidisciplinaridade, a conectividade (telemedicina), para disponibilizar conhecimentos específicos à atenção primária, e a empatia. O motivo pelo qual estamos ocupando estas linhas com empatia reside no fato de que nos **dedicar a entender o sofrimento do outro** deve nortear nossas ações dentro e fora do consultório, e, nesse sentido, identificar desde cedo um problema médico e saber alertar a família são atitudes primorosas e admiráveis dentro de um mundo que sempre foi marcado pela frieza das estatísticas e pela tecnicidade.

Quando minhas ações se baseiam na empatia, a estatística e a frieza dos números se transformam em informações para prevenir problemas que se tornarão maiores, piores, severamente restritivos, se nada for feito de maneira precoce. Esses dados servirão de base sólida, garantida, de que se adiantar a uma anormalidade é reduzir o sofrimento a longo prazo e permitir que os pais vislumbrem um sucesso nas ações e um desempenho social que imaginavam inalcançáveis para seu filho que apresentava atraso no desenvolvimento.

O relato alegre de uma mãe, recebido por um aplicativo de mensagens e acompanhado de uma foto da menina, pode revelar muito o que estamos dizendo aqui: "Boa noite, Dr. Clay. Hoje nossa filha completa

UM SINAL PODE SIGNIFICAR ALGO MAIS DO QUE APENAS MAIS DO MESMO OU QUE UMA HORA VAI HAVER UM "CLIQUE" E A CRIANÇA VAI MELHORAR.

4 anos, e não podemos deixar de lembrar do senhor. Faz um ano que ela finalizou as intervenções multidisciplinares e há seis meses teve alta da fono, está totalmente adequada à idade em todos os relatórios. Graças à sua orientação e ao seu incentivo, nossa filha...". Como você pode ver, identificar precocemente um atraso de desenvolvimento não configura uma tragédia, tampouco um ato de "ver problemas onde não existe" ou de rotular uma criança, mas sim um ato de empatia, de humanidade, e de colocar a ciência à disposição das pessoas para que alegrias se frutifiquem no seio familiar. Ao médico, fica a recompensa da linda mensagem de uma mãe gratificada enviada bem no Dia do Médico.

Este é o papel principal que devemos desempenhar quando avaliamos uma criança: **o de que devemos nos colocar no lugar dela e de sua família**! A criança terá anos de vida pela frente e, como nós, quer viver com qualidade de vida e com a plenitude de seu potencial. Assim, somos corresponsáveis por como ela chegará à adolescência e à vida adulta, e o diagnóstico precoce de um transtorno é fundamental para que essa história seja escrita da melhor forma possível.

Quando suspeitar?

Se você fosse induzido a dizer numa só palavra o que representa o principal problema gerado pelo autismo numa criança, poderia responder de bate e pronto: **o social**. Isso mesmo, as habilidades sociais! Nós somos, por natureza e intuição, seres essencialmente sociais, ou seja, toda a nossa existência começa, vive e termina dentro de processos e momentos que envolvem o contato com os outros. Nosso cérebro tem várias regiões responsáveis pelas mais diversas habilidades, e todas elas são direcionadas a se desenvolverem dentro da perspectiva social.

IDENTIFICAR O ESPECTRO: SUSPEITAR PARA INTERVIR E NÃO PARA ESPERAR

Contudo, o que significa sermos sociais? Significa agirmos, pensarmos, sentirmos, reagirmos, nos emocionarmos e regularmos nossas ações sempre considerando a presença do outro, de um grupo, de um estado de emoções criado por uma ou várias pessoas. Veja este exemplo: você sai de casa, dirige-se até a igreja, entra e encontra pessoas, espera o cumprimento de toda uma programação, sai e retorna para sua casa ou segue para a casa de um parente. Nessa sequência de atividades você teve que modificar suas ações, seus sentimentos, criar diálogos, conversar e concluir assuntos inúmeras vezes, sempre levando em consideração o olhar e a reação das pessoas, não é mesmo? Pois bem, isso é ser social. Portanto, para cumprir esse processo de maneira coerente e de acordo com o esperado pelos demais, você teve que ajustar seu comportamento de acordo com o "modo social" de seu cérebro, o qual podemos chamar de **cognição social**.

A cognição social é o resultado do processamento de informações levado a cabo por um conjunto de regiões cerebrais com a finalidade de perceber, entender, modificar, elaborar e responder de maneira organizada e sequencial às diversas fases de uma tarefa envolvida num contexto social ou numa relação social. Para que a pessoa consiga processar bem essas tarefas sociais, essa região deve estar funcionando bem e sem alterações estruturais ou bioquímicas. Além disso, deve ter todo o aparato cerebral, visual, auditivo, sensitivo etc. íntegro, a fim de que essa cognição aconteça com coerência e sentido.

Assim, toda pessoa precisa mostrar ações socialmente coerentes para que seja considerada alguém que apresente um desenvolvimento típico para a idade e para o contexto. O processamento social compreende o olhar, o contato visual fixo nos olhos do outro, para reconhecê-lo e logo associá-lo ao parentesco, ao lugar onde mora, a como e quando o conheceu, a de onde vem, se tem histórico agradável de acordo comigo e com minha família, e a como devo reagir ou se devo permanecer ou não sendo afável com ele(a). As minhas reações dependerão desse primeiro contato e desse "insight".

Desde os primeiros meses de vida, começamos a disponibilizar e processar esses contatos. Com 2 meses de vida, já fixamos o olhar nas pessoas e respondemos aos estímulos delas, podendo sorrir, ou chorar, ou responder modificando nossa respiração, ou deixando de mamar por segundos. Aos 3-4 meses, direcionamos os olhos para quem fala ou chama e levantamos a cabeça para direcionar nossa atenção para os outros que nos rodeiam. Podemos denominar isso de **atenção social**. A atenção social permite que sempre consideremos os outros que estão ao nosso redor quando iniciamos e mantemos uma atividade qualquer e permite que paremos ou modifiquemos nossa forma de agir de acordo com a reação do outro. Permite também que possamos compartilhar objetos e experiências e aprender a construir nossas habilidades a partir dessas relações. Isso faz com que o bebê aprenda desde cedo a gritar, chorar ou fazer burburinhos ou balbucios com a boca para poder conseguir o que quer ou o que precisa para sobreviver. Pede colo aos 8 meses e começa a apontar para objetos aos 9 meses, **chamando a atenção do adulto ao mesmo tempo**. Até 1 ano de vida já deve saber lidar com gestos sociais (dar tchau, mandar beijo, fazer gracinhas com a boca e com os olhos, apontar, chorar em resposta a uma situação de contrariedade ou estranheza, sorrir quando satisfeito ou incitado por um adulto brincalhão), e nessa idade já se espera que comece a falar palavras que pelo menos os pais entendam (em torno de 5); a partir de então sua fala evoluirá, até que fale mais de 150 palavras aos 18 meses e em torno de 250 palavras aos 2 anos.

Entre os 18 meses e os 2 anos, começa a falar palavras que podem representar uma frase (água) e frases com duas palavras (quero água), começando a utilizar frases, sempre com sentido e de acordo com a situação daquele momento. A fala deve sempre ter coerência com o momento e de acordo com o que realmente se espera para aquela situação, sendo utilizada de modo funcional e organizada conforme aqueles que o ouvem esperam. Não se espera, de maneira alguma, repetições de palavras nem o uso de palavras fora do assunto. Normalmente, espera-se que exista diálogo e que haja a devida reciprocidade na resposta quando é o outro que está falando ou perguntando.

O **brincar** deve obedecer a dois princípios: 1) brincar de acordo com as regras e funções daquele brinquedo específico, e 2) brincar de acordo com a interação e o compartilhamento junto aos interesses do outro amiguinho ou daquele grupo em especial, respeitando o tempo e a sequência daquele tipo de brincar. Se a criança brinca apenas com partes específicas do brinquedo, se fragmenta e enfileira sem motivo e sem uma ligação com os outros e se fica apenas jogando e quebrando o brinquedo, algo não vai bem, e essa parece ser uma situação anormal, atípica.

Muito bem, podemos observar nos parágrafos anteriores um padrão de comportamento que se espera de uma criança com menos de 2 anos. Uma atitude diferente do que descrevemos deve levantar a suspeita de autismo. Pais, cuidadores e profissionais não devem titubear: um perfil diferente do que falamos acima em crianças dessa faixa etária exige uma avaliação especializada.

Pode ter autismo: o que eu faço?

A observação do desenvolvimento neuropsicomotor de uma criança é fundamental nos primeiros cinco anos de vida e extremamente importante até os 3 anos. O primeiro passo para isso é conhecer quais são as etapas normais desse processo, e existem várias escalas disponíveis para esse objetivo. Podemos, inclusive, ter acesso a uma delas nas carteirinhas de vacinação que recebemos na maternidade e que será utilizada pelo pediatra para anotar dados do crescimento de nossos filhos durante a puericultura. Qualquer atraso deve obrigar a família a buscar a avaliação de um especialista. O pediatra, por sua vez, deve também usar as escalas para avaliar sistematicamente a criança, observando seu comportamento motor, linguístico, social, adaptativo, e comparando-o à etapa correspondente indicada nas escalas.

Em muitas situações, os pais e cuidadores podem observar que algo no desenvolvimento da criança não anda de acordo quando comparado aos primos, amigos ou irmãos mais velhos dela. Nesses casos, deve-se avaliá-la melhor. Esse tipo de observação costuma ser eficaz e resultar num diagnóstico. Nesse sentido, são comuns as seguintes queixas: "Ele não olha para mim como o irmão olhava", "Está demorando mais para falar", "Não consegue se comportar quando o chamo – acho que pode ser surdo", e, então, deve-se procurar ajuda especializada.

Quando avaliamos uma criança dentro do seu perfil de socialização, não devemos perguntar se ela interage ou não, mas **como** ela interage. O como é mais amplo, completo, e exige de nós a observação de **todo o processo, do começo até o fim, e o que nos chama atenção a cada instante**. Uma criança pode permanecer no meio das outras e ficar correndo com elas numa festinha de aniversário, mas não saber **como iniciar nem como conduzir o passo a passo de um diálogo nem como repartir ou permitir a participação** do amiguinho em determinada brincadeira. Assim, devemos avaliar a cognição social de uma criança desde o nascimento baseando-nos em três perguntas e comparando-a à nossa experiência com outras crianças ou lançando mão do nosso bom senso:

IDENTIFICAR O ESPECTRO: SUSPEITAR PARA INTERVIR E NÃO PARA ESPERAR

1. Como ele(a) interage ao chegar a um lugar com pessoas e ao permanecer lá?
2. Como ele(a) responde quando há uma oportunidade de se comunicar pela fala ou por gestos?
3. Como ele(a) brinca quando está sozinho e quando está num espaço com outras crianças?

Essas três perguntas podem nos ajudar a direcionar melhor o que devemos observar e/ou esperar quando avaliamos a cognição social de uma criança, e elas devem ser feitas quando a criança estiver num ambiente natural, no qual esteja acostumada a ficar e nele conviver. Essas perguntas devem estar na memória dos professores, pais, pediatras e de qualquer profissional que conviva com crianças ou as avalie. As características descritas ao responder essas perguntas vão definir se a criança possui um comportamento social típico ou não.

Se, ao chegar a um lugar, essa criança: não olha para o interlocutor, não se importa com as pessoas do local e somente prioriza os objetos, se ao ser chamada pelo nome não responde, se evita olhar nos olhos mesmo forçada ou induzida, se não cumprimenta, nem estranha, nem usa gestos, nem se contém no caso de uma intervenção de algum adulto, deve-se suspeitar de autismo.

Se, numa oportunidade de se comunicar num determinado ambiente, essa criança: ignora os outros, não sabe responder de acordo com sua idade, não fixa o olhar, não usa gestos esperados, não dá continuidade à conversa, não espera o outro terminar de falar, usa palavras repetidas ou repete o que o outro fala, não sabe usar as palavras de acordo com o tipo de conversa, somente inicia conversa ou cumprimenta na hora que quer e ignora o resto, e/ou faz inversões de pronomes (em vez de falar "eu quero", diz "o José quer"), deve-se suspeitar de autismo.

QUANDO AVALIAMOS UMA CRIANÇA DENTRO DO SEU PERFIL DE SOCIALIZAÇÃO, NÃO DEVEMOS PERGUNTAR SE ELA INTERAGE OU NÃO, MAS COMO ELA INTERAGE.

IDENTIFICAR O ESPECTRO: SUSPEITAR PARA INTERVIR E NÃO PARA ESPERAR

Se, ao brincar, essa criança: brinca somente de seu jeito, sem respeitar o grupo ou a criança que está tentando brincar com ela, agride a todo momento as demais crianças, tira os brinquedos das mãos delas sem respeito ou inibição, quebra ou fragmenta o brinquedo, interessando-se somente por partes dele, fica rodando, ou enfileirando, ou sequenciando os objetos de acordo com as formas e as cores, brinca sem levar em consideração a mediação ou a opinião de outra criança, ou tem excessiva preferência por algum tipo de brinquedo, forma, espécie, marca, tipo, fazendo com que repudie as que querem brincar com outros tipos e se isole por causa disso, deve-se suspeitar de autismo.

Na suspeita, a recomendação mais prudente é procurar um especialista ou um grupo de profissionais acostumados a avaliar crianças com problemas de desenvolvimento. Em nosso país, os profissionais médicos mais capacitados para esse fim são os neurologistas infantis (ou neuropediatras) e os psiquiatras infantis (ou psiquiatras da infância e adolescência). Em relação a não médicos, procure as equipes da APAE, os centros especializados em saúde mental (os CAPS, por exemplo) e aqueles profissionais que sabidamente se atualizam e participam de congressos e simpósios sobre o tema. Devo acrescentar que muitos professores e pedagogos se incluem nessa lista, e também confessar que existem muitos pais e cuidadores *experts* no assunto, pois ou têm um filho autista, ou vivem conectados em redes sociais e vídeos de sites especializados. Felizmente, a informação tem ultrapassado muros, difundido e democratizado o conhecimento.

Ok, eu vou ao "especialista". Mas ele existe? Qual a vantagem?

Se considerarmos o especialista aquele formado em determinada área com diploma e pós-graduação, não existe especialista em autismo.

MENTES ÚNICAS

Infelizmente, ainda não existe essa especialidade formalmente nem prevista em nossas faculdades e universidades. O especialista existe, sim, quando consideramos aquele que tem formação especializada em determinada área ligada a uma disciplina com conhecimento amplo sobre transtornos de desenvolvimento e de comportamento. Nesse caso, temos o especialista, mas poderíamos acrescentar mais alguns dados que devem ser considerados: 1) o especialista é aquele que tem ampla experiência no tema; 2) lê, regularmente, revistas e publicações especializadas para se atualizar no tema; 3) baseia-se em evidências científicas e segue os consensos internacionais; 4) não inventa nem cria formas de tratamento que não são reconhecidas nem seguras; e 5) não explora os pais e os cuidadores de pessoas com autismo.

Sempre é vantajoso que, na suspeita de autismo, os pais ou cuidadores procurem especialistas, uma vez que eles **não têm medo de falar no tema** e são **corajosos para assumir o fechamento do diagnóstico, pois sabem como fechá-lo**. Além disso, vão a fundo para descartá-lo ou confirmá-lo numa criança ou num adolescente, e sabem, a partir da confirmação, quais os próximos passos a tomar, sempre levando em consideração as particularidades de cada criança, as condições financeiras dos cuidadores e a construção de um laudo que vai abordar o necessário. Além disso, o especialista vai informar os direitos e os deveres incluídos caso a caso e terá equilíbrio para solicitar os exames complementares **realmente necessários**, sem comprometer financeiramente a família.

O especialista orienta o tratamento de acordo com as comprovações científicas de eficácia e direciona as ações sem deixar que o paciente caia nas mãos de charlatanismos ou achismos. Ele sabe que, no autismo, não podemos perder tempo e que as intervenções devem realmente ser aquelas que já se comprovaram eficazes, tendo um planejamento realista de acordo com as condições da família e com a forma de aplicá-lo no ambiente de casa e da escola.

Enfim, o especialista sabe conversar, tirar dúvidas, desempenhar um papel realista e não utópico. Ele passa a devida confiança, não faz falsas promessas e consegue dar segurança aos pais e cuidadores para que o impacto do diagnóstico não os desanime nem tampouco os faça desistir de uma mínima possibilidade de sucesso dentro das condições de cada criança.

Sinais principais e secundários

Podemos dividir didaticamente os sinais e sintomas do autismo em dois: os principais e os secundários. Ambos são importantes, pois podem aparecer a qualquer momento; às vezes os sintomas secundários chamam mais atenção e, muitas vezes, podem prevalecer em algumas circunstâncias e idades e reduzir mais lentamente do que os principais com o andamento das terapias. Por isso, achamos importante descrevê-los e apresentá-los, pois variam muito de criança para criança.

Os sintomas principais são aqueles descritos em destaque no DSM-5: **inadequada interação social, dificuldade de comunicação social e comportamentos repetitivos** e **interesses restritos**. Vejam que escrevemos *inadequada*, e não completa ausência de interação social. As pessoas com autismo podem ter interação, mas ela é inadequada, anormal, desperta a atenção dos outros (afasta ou induz ao isolamento) e ocasiona prejuízos na vida social. Essa visão que devemos ter dessa inadequação social é muito importante para levantar a suspeita, uma vez que muitas crianças nem parecem ter autismo pelo que sabemos tradicionalmente, mas, numa observação mais detalhada, vemos que elas não conseguem ser empáticas, solidárias, mediadoras e expressivas de acordo com o momento e o contexto. Isso é inadequado.

A dificuldade de comunicação social é uma condição na qual a pessoa com autismo não sabe iniciar, continuar e concluir – com o devido equilíbrio e a percepção do que o outro sente e pensa – as formas de utilizar os mais diversos tipos de ferramentas de comunicação (verbal ou não verbal). Pode ter apresentações mais graves, como a **ecolalia**, que significa repetir palavra por palavra o que o interlocutor acabou de dizer sem dar continuidade adequada ao que foi dito. A ecolalia é um distúrbio, uma forma muito grave de comprometimento da linguagem discursiva, prejudicando severamente a capacidade de se interessar por um processo básico de comunicação e de mantê-lo.

Em outros casos, quem tem autismo costuma discursar fora do contexto, coloca assuntos que nada se associam ao que está sendo falado, não se preocupa em evitar termos delicados que podem expor as pessoas, tem excessiva honestidade nas palavras, não tem bom ritmo nem sabe ressaltar momentos do discurso que poderiam ser relevantes, não coloca emoção no que diz (parece frio, mecânico, protocolar na fala) e pode usar expressões e termos copiados de textos, desenhos e personagens para conseguir dizer o que pensa. Pode haver atrasos na fala e na compreensão de como o vocabulário deve ser usado contextualmente, trocas de pronomes e problemas em perceber se a narrativa está de acordo com o contexto. Não entende linguagem de duplo sentido, piadas, metáforas, sarcasmos, formas fantasiosas de determinados discursos. Costuma falar bem somente dentro do assunto que interessa e volta a esse tema com frequência sem respeitar os interlocutores.

Quanto aos comportamentos repetitivos e interesses restritos, podemos ressaltar a dificuldade em flexibilizar sua atenção de acordo com as pressões ou obrigações de casa, da escola e do convívio com os amigos. E, assim, podemos assistir a explosões de raiva, teimosia agressiva, perda súbita de interesse, abandono do grupo, pouca capacidade de entender novas experiências e desinteresse completo por novos assuntos. O comportamento pode ser visível nas manias e nos fascínios por coisas que rodam, enfileiramentos, categorizações, simetrias, na intolerância pelo diferente, na falta de respeito pelas imposições de grupos sociais, na mania de excessivamente citar ou trazer de volta determinados personagens, assuntos, intelectualizações e nos hábitos durante atividades sociais.

Muitas pessoas com autismo também podem apresentar movimentos repetitivos sem nenhum objetivo ou intenção de funcionar socialmente, as chamadas **estereotipias motoras**. Esse comportamento pode se manifestar de várias formas, como balançar as mãos para cima e para baixo, inverter lateralmente as mãos quando excitados ou ansiosos, correr em qualquer direção e dar pulinhos repetidamente, mover os dedos das mãos em frente aos olhos, fazer movimento postural da mão na forma de ioga, cheirar ou fungar etc.

Junto a esses sintomas principais, associam-se aos secundários: preferência excessiva por objetos, distúrbios sensoriais (hipo e hipersensibilidades auditivas/visuais/gustativas/táteis/olfativas), fobias inexplicáveis, manias alimentares, problemas de sono e atrasos de desenvolvimento motor e linguístico.

A preferência por objetos é algo marcante no autismo, pois esses pacientes costumam deixar o sujeito, a pessoa, o humano de lado numa interação e direcionar toda a atenção para objetos à sua volta. No consultório, isso é evidente quando, ao se tentar chamar sua atenção, ele simplesmente ignora, enquanto fica manipulando os brinquedos da sala. O mesmo ocorre na escola, onde os professores relatam a tendência ao isolamento exatamente porque a criança prefere interagir somente com os brinquedos, peças ou instrumentos da sala de aula.

Em relação aos problemas sensoriais, os autistas podem ter sensibilidade quase nula à dor. Muitas vezes os pais relatam que o filho se machucou, está sangrando, mas que nada disso o impediu de continuar brincando e sorrindo, como se nada tivesse sentido. Em contrapartida, podem ter excessiva sensibilidade aos estímulos comuns do ambiente – sons, luzes, abraços, toques, caimento das roupas, incômodos excessivos com determinados estímulos usuais como paredes coloridas, paladares, texturas de alimentos, cobertores pesados, pingos d'agua da chuva ou do chuveiro, intolerância a toques ou fricções etc. Esses pacientes podem ficar cheirando as pessoas em vez de cumprimentá-las normalmente ou lamber os amigos num ato primário de reconhecimento. Em outras situações, a tendência ao isolamento social, por exemplo, pode ocorrer não por desinteresse, mas por problemas de hipersensibilidade auditiva. Muitas pessoas com autismo podem fugir de grandes grupos não por evitarem o contato, mas por não suportarem o barulho, aquele "burburinho" tão habitual das aglomerações humanas. Assim, além de os portadores mesmos serem muito restritivos socialmente, os sintomas secundários podem também intensificar os problemas gerados pelos sintomas primários.

Muitas vezes, atrasos motores podem atrapalhar ainda mais as atividades sociais que exigem um bom desempenho motor e piorar a interação. Um exemplo disso é a frequente dificuldade que pessoas com autismo apresentam para escrever ou adquirir um desempenho satisfatório em esportes coletivos. Em outras situações, graças à hipersensibilidade olfativa, essas crianças podem evitar refeitórios com seus amigos de escola, e isso pode ocasionar fobia escolar! Suas possíveis manias alimentares podem restringir sua participação em confrater-

A PREFERÊNCIA POR OBJETOS É ALGO MARCANTE NO AUTISMO, POIS ESSES PACIENTES COSTUMAM DEIXAR O SUJEITO, A PESSOA, O HUMANO DE LADO NUMA INTERAÇÃO E DIRECIONAR TODA A ATENÇÃO PARA OBJETOS A SUA VOLTA.

nizações e momentos de lazer da família ou de um grupo de colegas de trabalho.

Portanto, é muito importante ficarmos atentos a todas essas características, pois elas, antes de tudo, são complementares e podem se combinar numa mesma criança ou adolescente (ver figura 1, p. 80). O especialista deve sempre perguntar em quais situações, considerando os mais diversos momentos críticos, tais aversões ocorrem e quais seriam os possíveis gatilhos. Muitos comportamentos podem sugerir o predomínio de uma condição sobre a outra ou um "empate" de ambas as situações adversas. A descrição e a descoberta de cada situação têm implicações diretas em como os cuidadores e as instituições vão lidar com isso e se a abordagem terapêutica precisa ou não ser revista.

Esses sinais podem ser observados na criança num ambiente natural, em casa ou na escola, nas atividades lúdicas e brincadeiras do cotidiano, em momentos de lazer e de recreação e nas rotinas familiares. Podem ser registradas por fotos ou vídeos e serem disponibilizadas aos profissionais que estão avaliando a criança. É importante que a gravação seja feita em momentos de socialização, nas rotinas e nas atividades de grupo, pois assim terá maior valor para a observação.

O relato completo do comportamento da criança por pais, cuidadores e professores é essencial para descrições detalhadas e para, em seguida, definir melhor os comportamentos que vêm preocupando. Nessa fase, dentro do consultório, o profissional que avalia deve aproveitar para fazer perguntas bem específicas e com ampla gama de detalhes, conduzindo o questionamento, a fim de evitar informações desnecessárias e prolixas.

Nesse ponto, é muito importante entender como os sinais de autismo se iniciaram. Muitas crianças já nascem com sintomas autísticos. Outras começam com atrasos de desenvolvimento globais ou especí-

IDENTIFICAR O ESPECTRO: SUSPEITAR PARA INTERVIR E NÃO PARA ESPERAR

ficos, e os sintomas autísticos vão aparecendo aos poucos. Há também crianças que podem ser totalmente neurotípicas e subitamente, após crises epilépticas ou mesmo sem nenhum outro desencadeante, regredirem em alguns aspectos de seu desenvolvimento, nela se estabelecendo os sintomas de autismo. Em outros casos, o autismo pode ser apenas um sintoma mais sutil e leve de comorbidade, ou seja, secundário a outra condição que é claramente predominante na criança, como o TDAH ou a deficiência intelectual.

Mesmo fazendo aqui várias descrições acerca dos sinais e dos sintomas do autismo, sempre é bom ressaltar que nosso principal foco deve ser o diagnóstico precoce. Diagnosticar precocemente significa descobrir algo bem cedo, a ponto de remediar por completo ou minimizar o máximo possível seus efeitos negativos no desenvolvimento da criança, aproveitando seu melhor momento de evolução. E isso permite que, nas fases posteriores da vida e nos desafios que virão, a criança e o futuro adolescente tenham maiores condições de vencê-los com as menores dificuldades possíveis. Quem age precocemente no autismo intervém ajudando a remediar incapacidades e, portanto, reduz danos à criança, aos cuidadores e à escola. No autismo, o diagnóstico precoce deve ser feito antes dos 3 anos e identificado, de preferência, antes dos 2 anos, e vários autores afirmam ser perfeitamente possível realizar isso.

Antes dos 2 anos, os 12 sinais mais importantes são:

1. Pouco ou nenhum contato visual;
2. Indiferença ao colo dos pais ou preferência por ficar solto explorando coisas e objetos;
3. Não apresentar balbucios até o sexto mês de vida;
4. Pouca ou nenhuma resposta ao estímulo dos outros à sua volta;

MENTES ÚNICAS

5. Irritabilidade frequente;
6. Atraso na aquisição da aprendizagem de gestos sociais;
7. Problemas na fala com atraso ou regressão;
8. Movimentos repetitivos e sem intenção social;
9. Pouca ou nenhuma intenção voluntária para brincar com outras crianças;
10. Brincar de maneira diferente (valoriza demais as partes dos brinquedos, tem mania de rodar e de enfileirar, não entende o simbolismo por detrás dos brinquedos);
11. Foco excessivo em detalhes/formas/cores das coisas; e
12. Desprazer ou sofrimento durante atividades sociais corriqueiras (festas de aniversário e confraternizações, por exemplo).

O aparecimento de pelo menos metade desses sinais deve preocupar todos os que convivem com a criança ou a examinam e recomenda avaliação especializada urgente para que, se confirmado o espectro autista, ela seja prontamente encaminhada para intervenção precoce. Pesquisas e consensos bem fundamentados têm demonstrado que estratégias de intervenção empreendidas bem cedo na criança com autismo modificam de maneira consistente e constante os déficits autísticos mais fortes e reduzem a intensidade dos sintomas mais sérios gerados por essa condição, como as estereotipias e ecolalias.

Mas, para intervir precocemente, devemos identificar cedo. As pesquisas direcionadas às formas de avaliação mostram ser possível identificar sintomas do autismo em crianças com menos de 2 anos. Existem, hoje, sinais clínicos bem consolidados, instrumentos de avaliação bons e considerados eficazes para verificação desses sinais, além de documentos publicados pela Academia Americana de Pediatria (como ZWAIGENBAUM, L., BAUMAN, M.L., STONE, W.L., et al. "Early identification of autism spectrum disorder: recommendations for practice and research". *Pediatrics* 2015; 136 S41-S59) que reforçam as evidências de que esses instrumentos podem ser utilizados pelos clínicos gerais e pediatras para identificar logo cedo a condição autística na população infantil e de que esses profissionais devem ser treinados e capacitados para tal fim. Essa atitude é de extrema importância, pois não existem especialistas nos postos de saúde e nos hospitais públicos em geral, e a identificação quase sempre começa nos ambientes de atenção primária.

Outros autores, em publicação recente, têm ressaltado a importância, ao iniciar a investigação, de utilizar inicialmente três caminhos justapostos, tendo em mãos sempre: 1) uma **escala de avaliação do desenvolvimento infantil** (por exemplo, o Questionário de Idades e Estágios (ASQ); 2) uma **escala de triagem de autismo** (o M-CHAT, para crianças entre 18 e 36 meses de vida) ou o Questionário de Comunicação Social (o SCQ, para crianças acima de 4 anos); e 3) ter em mente os **10 sinais de risco para pensar na possibilidade de autismo** numa criança (ou sinais simbolizados por bandeiras vermelhas, ou *red flags*, em inglês, para ficar em alerta), como citados a seguir:

1. Poucos sorrisos ou expressões de entusiasmo até os 6 meses de vida;
2. Nenhum compartilhamento de sons e/ou sorrisos (até 9 meses de vida ou mais);
3. Ausência de balbucio até 1 ano de vida;
4. Ausência de gestos compartilhados até 1 ano de vida;
5. Nenhuma palavra simples até 16 meses de vida;
6. Ausência na fala de frases com até 2 palavras com significado (ou sem imitar ou repetir até os 2 anos de vida);
7. Regressão ou perda de linguagem, balbucio ou habilidade social em alguma idade;

8. Ter um irmão com autismo;
9. Ausência de atenção compartilhada; e
10. Comportamentos atípicos (estereotipias, interesses estranhos, interesse social muito limitado).

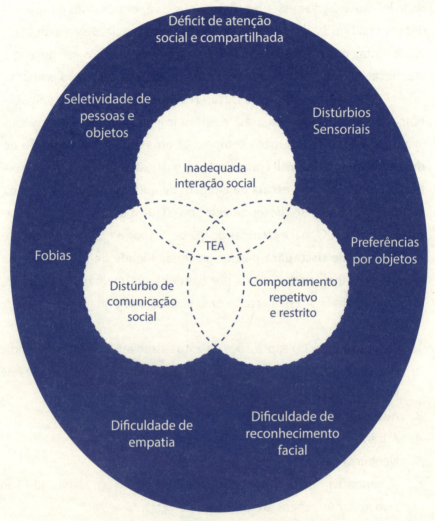

Figura 1: Sinais principais (dentro dos círculos) e secundários (em volta dos círculos) do transtorno do espectro autista na infância e na adolescência.

Escalas de triagem e de diagnóstico

Você sabe para que serve uma escala ou um instrumento de avaliação com a finalidade de fazer um diagnóstico? Muitas pessoas, inclusive estudadas e formadas em nossas universidades, discordam do uso desse recurso para avaliar pacientes e auxiliar no diagnóstico de doenças ou transtornos que envolvem comportamentos. Isso acontece porque muitas delas não conhecem e nem mesmo sabem o que representam ou significam. Então, vamos lá.

As escalas de avaliação são formas de descrever melhor (e com detalhes que, em geral, esquecemos) determinadas condições médicas ou não médicas. Servem muitas vezes como parâmetros mais objetivos e minuciosos de acessar meios de investigar determinada doença ou transtorno comportamental. Uma vez que essas escalas são aplicadas na população, elas precisam ser readequadas de acordo com os costumes, línguas e culturas e devem ser submetidas a processos rígidos e científicos de confiabilidade e validação, o que chamamos de normatização. Por exemplo, uma escala criada num país de origem e língua inglesas, antes de ser aplicada regularmente na população brasileira, deve ser submetida a processos de validação. Portanto, aqui neste livro, vamos apresentar somente as escalas já normatizadas para o nosso meio.

Ainda assim, elas não são, isoladamente, utilizadas para fechar um diagnóstico, mas são importantes para lembrar o profissional que avalia das características que ele deve considerar na suspeita de determinada anomalia.

As escalas de triagem, por exemplo, têm este perfil: servem para lembrar quem as aplica de determinadas características que podem surgir em algumas pessoas dentro de uma população normal; portanto, se as características estiverem presentes em algum indivíduo, deve-se

MENTES ÚNICAS

recomendar a ele uma avaliação especializada ou direcioná-lo para receber a aplicação de escalas mais especializadas. Assim, as escalas de triagem costumam ser instrumentos fáceis e acessíveis que podem ser utilizados por cuidadores, pais, professores, profissionais de saúde e de educação, médicos da atenção primária e não especialistas para ajudar a "recolher", no ambiente de uma creche ou de um bairro, pessoas que teriam determinados problemas levantados pelo objetivo daquela determinada triagem.

Outras escalas, entretanto, por conterem informações de ampla experiência clínica que vem de anos a fio e, por adotarem em seus itens determinadas características que, comprovadamente, são muito específicas e se repetem de maneira ampla em algumas doenças, quase criando um verdadeiro padrão de sintomas, podem ser decisivas para fechar seguramente um diagnóstico. Estas têm o perfil de uma escala diagnóstica, definitiva, que, na dúvida, ajuda a "bater o martelo". Costumam ser complexas, de difíceis aplicação e aquisição, e, muitas vezes, o profissional que se destina a aplicá-las deve comprar o instrumento e se submeter a cursos de capacitação reconhecidos.

Nos estudos e nos processos diagnósticos dos transtornos do espectro autista existem, portanto, dois perfis de escalas de avaliação: as de triagem e as diagnósticas. As escalas de triagem são a **Modified-Checklist Autism in Toddlers** (M-CHAT), a **Escala de Traços Autísticos** (ATA), a **Escala Diagnóstica do Autismo na Infância** (CARS) e o **Protocolo do Avaliação de Crianças com Autismo** (PRO-TEA). As escalas diagnósticas são a **Escala de Observação para o Diagnóstico do Autismo 2** (ADOS-2) e a **Escala de Entrevista para o Diagnóstico de Autismo** (ADI-R).

A escala de triagem **M-CHAT** é aplicável para crianças entre 18 e 30 meses e consiste em 23 itens, dos quais 6 são específicos ou críticos

IDENTIFICAR O ESPECTRO: SUSPEITAR PARA INTERVIR E NÃO PARA ESPERAR

para o autismo e os outros 17 são mais gerais, embora sinalizem algum atraso ou alteração de comportamento para o intervalo das idades estudado. Ela pode ser aplicada por professores, cuidadores e profissionais não especializados aos pais, ou estes últimos podem autoaplicá-los, referindo-se ao comportamento de seu próprio filho. Se for positivo para 2 itens específicos ou para 1 item específico mais 2 itens gerais, considera-se que a criança tem risco de autismo. A Escala **ATA** tem 36 itens, e cada um deles é composto de vários sinais ou características de autismo. Em cada um dos 36 itens, se a criança apresentar uma característica, pontua com 1; se duas ou mais, pontua com 2; ao final, se tiver atingido o corte de 15, significa que a criança tem risco de autismo. A escala **CARS** tem 15 itens, e todos eles contêm subitens que descrevem características do autismo; a presença ou não dessas características vai se somando, gerando pontos; a nota de corte é 15, e, acima desse valor, há risco de autismo, e, a cada nível atingido com a soma sequencial dos pontos, pode-se definir o grau de intensidade do autismo (leve, moderado ou severo), o que auxilia na tomada de decisões e no acompanhamento evolutivo com o início das intervenções.

A **PRO-TEA**, por sua vez, é a única das escalas citadas desenvolvida por pesquisadores brasileiros e inteiramente nacional. Foi criada em 1998 pelo grupo de pesquisa da UFRGS sobre autismo e reformulada em 2007. O intuito era elaborar um instrumento brasileiro, pois, na época, carecíamos de escalas em nosso país, visto que nenhuma tinha sido ainda validada para nossa realidade. Ela é de rápida aplicação e depende apenas da interação, e da resultante observação direta, de um adulto com a criança em avaliação. Ela analisa os seguintes itens/sinais: 1) Imitação espontânea; 2) Atenção compartilhada; e 3) Brincadeira simbólica e comportamentos repetitivos, os quais compreendem as características mais importantes do autismo.

Em relação às escalas diagnósticas, a **ADI-R** é de entrevista e tem uma ampla gama de sinais e sintomas que devem ser sistematicamente pesquisados com pais, cuidadores e professores. Pode avaliar qualquer idade a partir dos 2 anos de vida e ajuda a concluir o diagnóstico de autismo. Nessa mesma linha, há a **ADOS-2**, que é de observação e apresenta características semelhantes, também sendo importante para o fechamento do diagnóstico. Elas são consideradas as escalas de ouro para fechar e confirmar (ou descartar o diagnóstico), assim como são instrumentos indicados como seguros para parâmetros de pesquisa. Entretanto, ambas ainda dependem de um processo de capacitação e são, portanto, pouco acessíveis. São raros os profissionais que dominam sua aplicação, e muitos ainda estão aprendendo a utilizar tais instrumentos.

Os critérios diagnósticos do TEA no DSM-5

O DSM é um manual utilizado no mundo todo como base para auxiliar no processo de diagnóstico de transtornos mentais e desvios de comportamento e de desenvolvimento, tanto em crianças como adultos. Criado pela Academia Americana de Psiquiatria em 1968, a intenção era organizar um conjunto amplo de critérios para unificar e nortear melhor os conceitos e as avaliações de problemas relacionados aos transtornos psiquiátricos. Periodicamente, passa por atualizações e revisões, e, hoje, encontra-se na 5ª versão atualizada, o DSM-5.

Dentro dos referidos critérios, estão os do transtorno do espectro autista. Esses critérios são considerados importantes para definir e fechar o diagnóstico, e constituem a base para identificar o transtorno. Vamos descrevê-los a seguir:

Critério A: inabilidade persistente na comunicação e na interação social, nos mais variados contextos, não justificada por atraso geral no desenvolvimento; ela **se manifesta por três características:**

A1. Déficits na reciprocidade socioemocional;
A2. Déficits nos comportamentos não verbais de comunicação usuais para a interação social;
A3. Déficits nos processos de desenvolver e manter relacionamentos.

Critério B: padrões restritos e repetitivos de comportamento, de interesses ou de atividades manifestados por, **pelo menos, dois dos seguintes itens:**

B1. Fala, movimentos motores ou uso de objetos de maneira repetitiva ou estereotipada;
B2. Adesão excessiva a rotinas, rituais verbais ou não verbais, ou excessiva resistência a mudanças;
B3. Interesses fixos e altamente restritos que são anormais em intensidade e foco;
B4. Hiper ou hiporreatividade à percepção sensorial de estímulos do ambiente ou interesse anormal e excessivo para estímulos sensoperceptivos.

Critério C: tais sintomas devem estar presentes em fase precoce da infância, considerando-se até os 8 anos (mas podem aparecer aos poucos, em ordem ou sequência incompleta, progressivamente levando a problemas nas demandas sociais).

Critério D: sintomas, em conjunto, limitam ou impossibilitam o funcionamento no cotidiano.

Esses critérios foram firmados após uma longa pesquisa de sintomas nos anos pregressos e calcados depois de anos de consensos, embasados por grupos de referência, como sociedades e academias internacionalmente reconhecidas. Eles auxiliam médicos, profissionais de saúde em geral e os da educação a entender melhor os sintomas de autismo.

Assim, desde a suspeita até a confirmação do diagnóstico, podemos resumir a sequência de ações da seguinte forma, como descrito na figura 2:

Figura 2: Esquema resumido das ações direcionadas a fechar o diagnóstico de autismo.

Avaliação neuropsicológica, cognitiva e de linguagem

Tanto a avaliação neuropsicológica quanto a de linguagem não têm a finalidade de fechar ou descartar o diagnóstico de autismo, mas

IDENTIFICAR O ESPECTRO: SUSPEITAR PARA INTERVIR E NÃO PARA ESPERAR

somente auxiliam a descrever, em cada paciente, os perfis intelectual e de funcionamento cognitivo, assim como o grau de comprometimento qualitativo e quantitativo de sua estrutura de linguagem. Essas avaliações são realizadas depois de concluído o diagnóstico de autismo e não são obrigatórias, apesar de contribuírem para várias ações relacionadas ao tratamento.

Sabemos, estatisticamente, que aproximadamente 40-50% dos pacientes com autismo apresentam **deficiência intelectual**. Isso significa que, além do autismo, eles podem ter restrições intelectuais e dificuldades severas em adquirir autonomia e capacidade plena de vencer obstáculos sociais, acadêmicos e rotineiros. Além disso, podem ter muitas dificuldades em compreender conceitos abstratos e generalizar formas de resolver problemas e ainda apresentar um nível mental bem inferior à sua idade real, com perfil infantilizado e dependente.

Em contrapartida, mesmo com nível intelectual preservado (em 40% dos casos), a avaliação neuropsicológica pode evidenciar nesses pacientes **déficits executivos**. Isso significa que, mesmo sendo inteligentes, eles costumam ter problemas de planejamento, de organização, de memória operacional para atividades desinteressantes e que exigem regras e rotinas, de autocontrole de pensamentos, emoções e comportamentos, levando a prejuízos em atividades que exigem comprometimento social e sequência de tarefas do dia a dia.

Entretanto, a avaliação neuropsicológica vai além, analisando com mais detalhes o funcionamento das habilidades cerebrais envolvidas na capacidade executiva, de memorização, de atenção sustentada, de habilidades espaciais etc., durante atividades estruturadas e semiestruturadas. Esses recursos de avaliação podem orientar ações dentro do contexto escolar (professores de apoio, salas de recursos multifuncionais), apoiar uma melhor compreensão de que tipo de suporte é necessário oferecer para as atividades do cotidiano, definir quais são as limitações e as potencialidades dessas pessoas, a fim de indicar se terão viabilidade em atividades acadêmicas ou se devem ser direcionadas para outros tipos de função social. Além disso, podem servir como base de documentação para fundamentar ações judiciais de curatela, seguridade social e suporte para benefícios de proteção continuada. Os instrumentos devem ser utilizados, enfim, para avaliar funções executivas, teoria da mente/coerência central e comportamento funcional e adaptativo.

De todos os autistas, 20% são não verbais, 50% tem perdas parciais e 30% tem linguagem expressiva fluente. Portanto, a avaliação qualitativa e quantitativa da linguagem é muito importante e ajuda a definir melhor o grau de comprometimento para atividades que exigem comunicação verbal e/ou não verbal e se serão necessários apoios específicos para promover meios de comunicação básicos, como a adoção de sistemas alternativos de comunicação, tecnologias assistivas e formas alternativas de promover a alfabetização. Mesmo nos quadros mais leves de comprometimento da linguagem é importante considerar que o autismo compromete a habilidade de a pessoa compreender o simbolismo social e a empatia, ambos envolvidos no desenvolvimento da linguagem como um todo, inclusive nos processos mais complexos de compreensão da leitura e da escrita. Os instrumentos normalmente indicados são: Peabody Picture Vocabulary Test (receptivo e expressivo) e o Bedrosian Discourse Skills Checklist.

Por que fechar o diagnóstico de autismo é importante?

Há vários motivos para isso. Primeiro, porque não se pode perder tempo, e quanto mais cedo, melhor. Com o diagnóstico definido, vamos intensificar os tratamentos, direcionando-os para inicialmente reduzir

IDENTIFICAR O ESPECTRO: SUSPEITAR PARA INTERVIR E NÃO PARA ESPERAR

os sintomas de autismo. Depois, para avaliar a melhora nessas crianças, são necessários recursos e parâmetros diferentes, com o olhar um pouco mais preocupado com outros tipos de detalhes; e, sem o diagnóstico, o que estaremos avaliando ou verificando na evolução da criança? Por exemplo, consideremos duas crianças, uma com atraso de fala puro, sem autismo, e outra com atraso de fala e autismo; a forma de ver a evolução das duas e o jeito de tratá-las são totalmente diferentes e requerem uma postura completamente diversa da(o) fonoaudióloga(o).

O diagnóstico também serve para sensibilizar a escola, seu estafe e seus alunos de que, na realidade, eles estão lidando com uma pessoa com autismo, e, assim, os cuidados e a abordagem pedagógica deverão assumir outras direções. Além disso, por causa da fragilidade social e da excessiva imaturidade para perceber situações que exigem intuição e empatia, os alunos com autismo são mais expostos a sofrerem *bullying* e crises de fobia social, e a escola deve protegê-los de tais ocorrências, além de preveni-las.

E, por último, o diagnóstico concluído proporciona à família o acesso ao laudo médico, o qual abrirá portas para que tanto o indivíduo quanto seus cuidadores tenham direitos garantidos por lei nos mais diversos eixos da vida civil.

CAPÍTULO 4

MEU FILHO TEM AUTISMO: E AGORA?

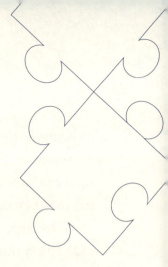

Primeiro passo: pergunte ao médico o que significa autismo

Podemos perfeitamente concluir que, se os profissionais em geral não sabem o que significa autismo e têm dificuldades em identificar essas pessoas e orientar que caminhos deverão buscar a partir do diagnóstico concluído, imagine os pais ou cuidadores dessas crianças! Portanto, é muito importante que o primeiro passo ao saber que seu filho tem o espectro é perguntar ao profissional o que significa e como ajudar a criança. Esse momento vai permitir que você realmente passe a entender com detalhes as dificuldades que o autismo ocasiona em seu filho e qual seu papel para ajudá-lo a superar os sintomas e as limitações.

Primeiro, deve-se esperar que esse profissional explique que determinados comportamentos podem ser reduzidos e, se bem trabalhados, até superados. Contudo, é importante dizer que há outros que costumam persistir ou nunca desaparecer e que algumas limitações exigirão um apoio constante dos pais, mas poderão ser reduzidas desde que dependam, e muito, das terapias e da participação da família.

Segundo, que a chance de a criança sair do autismo e abandonar os sintomas do espectro é quase zero, mas que, com o tratamento e o empenho de todos, é possível levá-la a um nível o mais próximo possível da "fronteira". E que todos os profissionais envolvidos devem ser realistas e não fazer promessas mirabolantes ou milagrosas, pois as evidências mostram que esse tipo de atitude não ajuda nem resolve.

Terceiro, mostrar que o transtorno é de desenvolvimento e que cada atraso observado nas avaliações exige pronta e intensiva intervenção, devendo os profissionais agendarem sessões de intervenção três vezes por semana. É imprescindível que estejam atualizados sobre como proceder.

Quarto, que, apesar de ser necessário sempre contarmos com uma visão otimista, devemos ter o pé no chão e entender que a ciência ainda está engatinhando na descoberta da chave do problema, e que novidades nas redes sociais e em aplicativos de mensagens instantâneas devem sempre ser avaliadas detalhadamente, uma vez que podem ser apenas promessas sem garantias ou um meio de alguém obter vantagens de pais e cuidadores em busca de ajuda.

Quinto, que, embora em geral o tratamento tenha os mesmos princípios, ele varia de criança para criança e pode ser mais ou menos intenso ou de acordo com os problemas mais evidentes de cada uma; e que tratamentos muito caros, com propaganda falando em cura ou "revolução", têm tudo para dar em nada ou resolver pouca coisa.

Sexto, que a escola e a família devem se evolver e ajudar a cumprir a proposta das terapias. Sem isso, não é possível avançar o suficiente, e ainda se pode cair no mais do mesmo, pois as terapias comportamentais e desenvolvimentais devem ser, além de comprovadamente eficazes, adaptáveis para as rotinas, regras e o contexto familiar.

Sétimo, que a solicitação de exames vai depender da história de vida e do comportamento de cada criança com autismo. Independentemente dos resultados, o diagnóstico de autismo, já feito, não depende deles, mas pode revelar alguma comorbidade ou inviabilizar o uso de determinadas medicações. Em geral, podem ser pedidos tomografia de crânio, eletroencefalograma e exames de sangue e urina.

Oitavo, que os convênios podem complicar o tratamento por se negarem a cobrir alguns exames ou, às vezes, todos eles. Isso ocorre porque a maioria dos profissionais que fazem parte do estafe dos convênios não sabe ainda lidar com pessoas com autismo, e muitas vezes o médico do portador precisa elaborar um laudo exigindo que o tratamento seja em outro local, com profissionais mais habilitados e experientes em TEA, que podem não fazer parte da rede de laboratórios credenciados.

Nono, os pais ou cuidadores podem chorar e mostrar seu desalento por causa da notícia. Ninguém é de ferro, e, sinceramente, é lógico que ter um filho com alguma deficiência não é desejo nem esperança para ninguém. Não é preciso se envergonhar de demonstrar frustração ou de, por outro lado, não desejar fazer alguma coisa, se for o caso. Sou testemunha de que pacientes com TEA podem melhorar de maneira surpreendente e que pais, mesmo incrédulos, podem vir a presenciar uma agradável evolução. O importante para pais e cuidadores é persistir e parar de ouvir vizinhos, internet e "parentes-serpentes", aqueles que só abrem a boca para assustar ou dizer que a criança não tem nada, mas que, num momento de dificuldade, desaparecem.

Décimo, é preciso sempre procurar um especialista. Ele realmente sabe conduzir a conversa e direcionar a criança com autismo para os exames e os tratamentos corretos. Com um laudo bem-feito, o especialista vai informar pais e cuidadores sobre os direitos garantidos por lei ao portador. Além disso, vai explicar o que é recomendado cientificamente e não vai permitir que a família caia numa armadilha de propagandas de TV ou de oportunistas. O especialista, enfim, vai ajudar a buscar profissionais especializados em intervenções mais indicadas e com uma frequência intensa, para que a família possa ver solidamente os efeitos esperados.

Esse profissional pode começar a ajudar a família dando sugestões de como melhorar a interação social da criança, de como lidar com problemas comuns que se associam ao autismo, como problemas de sono, alimentação e distúrbios de sensibilidade (caso ela os tenha), de como iniciar o processo de escolarização e que medidas tomar para isso, além de oferecer dicas de quais redes sociais ou mídias são fontes confiáveis para buscar informações. Perguntas de cunho mais clínico, médico, podem surgir, e esse profissional vai respondê-las da melhor maneira possível. Alguns exemplos: "Que medicação será utilizada?" e "Meu filho tem apenas TEA ou mais alguma condição?".

Quanto o tratamento dele vai depender de mim?

Vai depender muito!

As terapias consideradas mais eficazes no TEA são aquelas que fazem parte do chamado grupo **NDBI**, sigla que, em inglês, significa *Naturalistic Development-Behavioural Interventions* e, em português, **Intervenções Desenvolvimentais-Comportamentais Naturalísticas**, ou seja, um conjunto de intervenções **que agem nos atrasos de desenvolvimento e nos problemas comportamentais**, mas que, ao mesmo tempo, além de terem condições de ser aplicadas dentro de um consultório, podem capacitar as famílias para manter essas práticas nos mais diversos ambientes fora do consultório, em espaços naturalmente frequentados pela criança e por seus cuidadores (ou naturalísticos).

É PRECISO SEMPRE PROCURAR UM ESPECIALISTA. ELE REALMENTE SABE CONDUZIR A CONVERSA E DIRECIONAR A CRIANÇA COM AUTISMO PARA OS EXAMES E OS TRATAMENTOS CORRETOS.

Ele vai falar um dia?

Sabemos que em torno de 25-30% dos autistas evoluem sem a fala, não desenvolvendo, portanto, a linguagem expressiva. Há várias hipóteses para explicar por que isso acontece: o alto grau de intensidade do autismo, a severidade do comprometimento da linguagem, o diagnóstico tardio, a presença de deficiência intelectual ou de um transtorno do desenvolvimento da linguagem, quadros de regressões de fala não prontamente bem conduzidos. Em muitos casos, no entanto, ficamos sem saber o motivo. Os pais devem ser alertados sobre essa possibilidade e encorajados a manter as intervenções com o fonoaudiólogo, pois a esperança na possibilidade de vir a falar só vai persistir se algo continuar a ser feito para modificar essa situação.

Em caso de não haver uma evolução satisfatória, deve-se direcionar o tratamento para a capacitação da família e do paciente nos chamados **sistemas de comunicação alternativa ou por figuras** (Pictures Exchange Communication System, ou PECS, em inglês). Isso vai auxiliar a criança numa melhor inserção social o mais cedo possível, mesmo que ela não venha a falar.

Devo contar para os parentes?

A princípio, sim e sempre, pois a recomendação é a de que toda a família da pessoa com autismo participe estimulando e propiciando meios e recursos para sua cada vez melhor adaptação aos processos de interação e comunicação social.

Entretanto, existem situações e circunstâncias em que essa conduta deve ser revista, como contar aos parentes – os quais pais ou cuidadores conhecem de antemão – em quem a notícia vai inicialmente gerar enorme espanto, desespero, desprezo ou que podem expor a família a possíveis humilhações.

Parentes distantes podem ser deixados de lado ou ser informados em momentos específicos de reencontro. Aqueles que moram em países ou cidades onde há especialistas ou serviços especializados devem saber logo, pois podem ajudar a buscar uma avaliação ou uma vaga para determinadas intervenções, caso não estejam disponíveis na cidade onde mora a família da criança com autismo.

Quais tratamentos têm comprovação científica?

Se voltarmos no tempo, há quase trinta anos, nenhuma terapia tinha comprovação científica. Infelizmente, até o início dos anos 1980, quase nenhuma terapia se revelava plenamente dotada de confiança. Somente de uns dez anos para cá, consensos oriundos de centros de pesquisa têm criado meios de padronização e de avaliação da eficácia de tratamentos no autismo. Por exemplo, para avaliar grupos ou populações de pessoas com autismo, exige-se o máximo de uniformidade e semelhança nos perfis clínicos: não deve haver grandes disparidades nos níveis intelectuais entre os participantes, o diagnóstico precisa ser definitivo, com aplicação das escalas diagnósticas em todos etc. E isso realmente é difícil.

Entretanto, hoje sabemos que pelo menos seis formas de intervenção apresentam eficácia seguramente comprovada: o ABA (*Applied Behavioural Analys*, em inglês), o TEACCH (*Treatment and Education of Autistic and Communication Related Handicapped Children*, em inglês), o modelo Denver (*Early Start Denver Model*, ESDM, em inglês), o DIR-Floortime (*Developmental Individual-Difference*, DIR, em inglês), o PECS e o PRT (*Pivotal Response Treatment*, em inglês).

Existem outros tipos de terapia que foram criadas de acordo com as iniciativas dos mais variados grupos – ora de pesquisas, ora de clínicas, ora de grupos de cuidadores e de pais. Podemos correr o risco de, injustamente, não citar um ou outro que podem estar nesse patamar. Muitos deles já estão sendo mais bem avaliados e com amostras populacionais cada vez mais convincentes, e, portanto, ganhando a cada dia mais publicações. É o caso da musicoterapia, da equoterapia, da terapia de integração sensorial, dos tratamentos alergênicos e/ou autoimunes, das dietas restritivas, da corticoterapia etc. Essas ainda são consideradas **terapias complementares ou alternativas**, e devem ser menos prioritárias para seu filho com TEA. Mas, naturalmente, podem ser incluídas no tratamento em casos específicos. A princípio, portanto, os pais devem sempre optar por aquelas citadas com comprovação e pelas que o especialista indicar em primeiro plano.

Por que é importante definir quais têm e quais não têm comprovação? Porque muitos pais não dispõem de recursos financeiros suficientes para conduzir as terapias, e devemos simplificar ao máximo, selecionando as mais confiáveis e eficazes para não perdermos tempo nem recursos. Além disso, os convênios médicos e os serviços especializados têm eleito os tratamentos com comprovação e barrado o acesso ou a busca por terapias ainda em fase de convencimento científico, mesmo que seja por escolha (ou capricho) da família ou de determinados profissionais. É importante ainda considerar que no autismo o tempo de resposta aos tratamentos e a intensidade planejada deles são os fatores que levam aos melhores resultados, e são as intervenções eficazes que conseguem atingir melhor esse objetivo.

Quais características um bom tratamento deve ter?

Além do que já descrevemos no item anterior, é muito importante que o bom tratamento tenha outras três características: 1) seja amplamente divulgado e conhecido pela maioria dos profissionais e pelos serviços especializados que trabalham com pessoas com autismo (como psicólogos, fonoaudiólogos, terapeutas ocupacionais, psicomotricistas, pedagogos, psicopedagogos, médicos, APAEs, CMEIs, CAPS etc.); 2) seja de fácil compreensão para pais, cuidadores e educadores, a fim de que possa ser aplicável no ambiente natural da criança e não somente em espaços de intervenção (ou seja, que tenha um perfil naturalístico); 3) e, por fim, possa tanto intervir, no sentido de corrigir comportamentos inadequados, explosivos, rígidos e estereotipados, como reverter, reduzir ou reabilitar atrasos de desenvolvimento (atrasos de atenção social e/ou compartilhada, de fala e de linguagem, de habilidade espacial, de coordenação motora e de processos sensoriais anormais, por exemplo), além de dispor de recursos de avaliação evolutiva, ou seja, ser capaz de perceber quanto a criança melhorou ou não com sua utilização.

Ele está melhorando? Como eu percebo?

É importante salientar: os tratamentos citados acima devem apresentar formas de avaliação estruturada, periódicas, com meios de controle evolutivo para mostrarem detalhadamente se estão corrigindo ou melhorando a condição da criança. Como parâmetro, a Academia Americana de Psiquiatria definiu que uma terapia deve melhorar os parâmetros na criança com autismo a cada 3-4 meses, em média.

Muitas vezes, os pais percebem uma melhora nítida no cotidiano. Eles relatam que a criança não bate mais, está mais flexível, diz palavras que antes não usava, consegue permanecer numa festa de aniversário, ecolalia está melhor etc. Mas essas observações são muito subjetivas, influenciadas pelo desejo que os cuidadores têm de ver o filho avançar, e não se consegue medir, com detalhes, o que realmente melhorou e em quanto tempo. Por isso é importante ter em mãos dados detalhados por intermédio de sistemas que existem nas formas de tratamento mais indicadas.

Há escalas para avaliar se a terapia está beneficiando o quadro da criança ou não, como o **Pervasive Developmental Disorders Behavioural Inventory** (Inventário de Comportamentos Disfuncionais de Transtornos de Desenvolvimento) e o **Autism Treatment Evaluation Checklist** (Formulário para Avaliação do Tratamento de Autismo, ATEC). Eles podem auxiliar de maneira detalhada a verificação dos sinais mais significativos de melhora a cada período do processo de tratamento.

O ATEC foi desenvolvido pelo Instituto de Pesquisa em Autismo (Autism Research Institute), nos Estados Unidos, em 1999, especialmente para cobrir a lacuna que existia na avaliação da evolução das terapias nessas crianças. Foi desenhado de maneira simplificada e fácil para ser completada pelos pais, professores ou cuidadores. Consiste em quatro subtestes para avaliar as quatro áreas de maior interesse: 1) Linguagem e comunicação (14 itens); 2) Sociabilidade (20 itens); 3) Consciência cognitiva/sensorial (18 itens); e 4) Saúde física e comportamental (25 itens). Por suas características, tem sido considerado mais eficaz que o CARS e o ABC para essa finalidade. Você pode acessar a escala em português por este link: <https://www.surveygizmo.com/s3/4536466/Autism-Treatment-Evaluation-Checklist-MSEC>. Nele, há um formulário on-line que a pessoa pode preencher e receber, ao final, o resultado da evolução. Um detalhe importante: a escala pode auxiliar muito no sentido de revelar **em quais eixos a criança está melhor ou pior**

na sua evolução e apontar onde é necessário intensificar mais ou menos as intervenções.

Além disso, é importante que o especialista e os profissionais da escola relatem com sinceridade e isenção emocional os dados que de fato estão se revelando significativos a fim de se constatar um avanço sólido e permanente, e, ainda, em contrapartida, identificar em qual ou quais eixos do desenvolvimento determinada terapia não avançou. Nesse caso, é de responsabilidade do especialista indicar outra estratégia, recomendar aumentos de frequência ou então pequenas modificações no modo de trabalhar com a criança.

Além do autismo, meu filho pode ter mais algum problema?

Essa é uma pergunta que os pais não costumam fazer com frequência, mas que nós, profissionais, temos a obrigação de nos fazer quando avaliamos uma criança com TEA. Cerca de 85% dos casos de autismo apresentam duas a cinco condições médicas associadas, as quais chamamos de **comorbidades**. As comorbidades no autismo são um capítulo à parte, pois a presença delas complica bastante a evolução nas terapias e na escola e pode até comprometer a inserção social tanto da criança com autismo quanto de sua família.

Para facilitar o entendimento desse tema, criamos um método para explicar as comorbidades. Em geral, elas podem genericamente ser divididas em três tipos: *as comportamentais, as neurológicas e as não neurológicas*. As **comportamentais** são aquelas que afetam o comportamento e a capacidade de autocontrole da criança com autismo, como transtornos de ansiedade (generalizada, fobia social), transtorno obsessivo-compulsivo (TOC), esquizofrenia, transtorno opositivo-desafiador (TOD), depressão, transtornos de personalidade (antissocial, borderline), transtornos alimentares etc. As **neurológicas** são: TDAH, deficiência intelectual, transtornos do desenvolvimento da linguagem, transtornos do desenvolvimento da coordenação, paralisias cerebrais, tiques, epilepsias, síndromes genéticas, transtornos do sono, transtornos de aprendizagem etc. E as **não neurológicas** são: alergias respiratórias e/ou alimentares, intolerâncias alimentares (ao glúten, lactose, caseína etc.), doenças autoimunes, dermatites, distúrbios visuais e auditivos, problemas endocrinológicos (hipotireoidismo, distúrbios do cortisol, puberdade precoce, baixa estatura etc.).

As comorbidades devem sempre ser pesquisadas e definidas em cada criança. A incidência de cada uma delas varia muito em cada grupo de jovens com autismo, e elas podem aparecer em qualquer fase da vida, desde a infância até a fase adulta. Muitas vezes, dependendo do tipo e da intensidade, uma comorbidade pode atrapalhar a vida muito mais do que a condição autística. Deve-se, portanto, tratá-la de acordo com o que o protocolo desse tipo de comorbidade orienta. No geral, deve-se medicar para controlar seus sintomas, restringir alimentos, evitar exposições desnecessárias a fatores desencadeantes do ambiente, intervir com estratégias comportamentais e orientar as escolas e a família a suavizar os espaços onde a criança vive para melhorar sua adaptação e reduzir os prejuízos decorrentes da comorbidade.

Medicações no autismo: para que servem?

O uso de medicações em pessoas com autismo tem dois objetivos principais: 1) reduzir os sintomas do autismo na criança/adolescente e permitir uma melhor flexibilidade social; e 2) tratar as comorbidades.

Muitos sintomas do autismo costumam se manifestar de maneira severa, extremamente agressiva, fazendo com que o potencial da

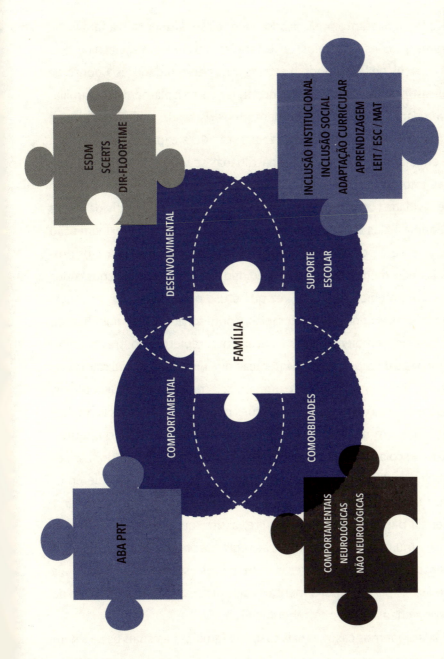

Figura 3: Resumo esquemático das terapias com as evidências científicas normalmente necessárias para intervir em pessoas com TEA, bem como nos atrasos de desenvolvimento e nos comportamentos inadequados de crianças e adolescentes com essa condição.

criança fique bastante prejudicado. Além disso, afugentam a família de confraternizações e passeios; desestabilizam o convívio social na escola e nos espaços de lazer; podem estressar os pais/cuidadores a ponto de eles desistirem de sair de casa e incentivar certo isolamento de familiares em relação a seus pares; aumentam os riscos de acidentes físicos e traumas psicológicos; e podem fazer com que a capacidade da família de se engajar nas atividades compartilhadas se reduza a zero.

Os comportamentos autísticos que mais costumam restringir são a agressividade (consigo mesmo ou com os outros), a hiperatividade e as estereotipias. Elas são, de longe, as que mais atrapalham e exigem ação medicamentosa por parte do médico especialista. Muitas vezes, os profissionais não médicos nos ligam pedindo socorro, para que possamos intervir com medicações, uma vez que o uso pode beneficiar a criança, tornando-a mais engajada nas terapias. Contudo, quem mais nos chama é a escola, pois o ambiente letivo é barulhento, repleto de outras crianças e distrações e de momentos de interação que nem sempre são calmos ou solidários, mas, ao contrário, costumam ser competitivos e disruptivos, levando a criança com autismo a reações pouco agradáveis socialmente.

Assim, em muitas situações, para poder sair de casa ou permanecer na escola, a medicação tem papel essencial. Ela melhora a flexibilidade diante dos conflitos e dos processos de autocontrole emocional, reduz a impulsividade e a hiperatividade e ajuda a controlar a frequência das estereotipias. Permite, assim, que a criança ou jovem aproveite muito mais suas rotinas, as regras, e passe a entender melhor momentos sociais desafiadores e, com menos estereotipias, fique mais atento às terapias comportamentais e aos processos escolares (além de diminuir a chance de ele sofrer *bullying*).

Já atendemos casos e mais casos de famílias nas quais os pais nem sequer saíam de casa com o filho por causa desses comportamentos, o que configurava um sofrimento ímpar para todos e um desserviço aos esforços que temos que empreender para a socialização das crianças ou dos jovens com autismo. Quanto mais ficam em casa, menos oportunidades têm de socializar, e pior para eles. Voltando ao caso de uma dessas famílias cujos pais preferiam não sair de casa, a medicação introduzida melhorou o comportamento do filho, e hoje eles viajam, vão ao mercado, conseguem ir a uma festa e permanecer nela por pelo menos três horas!

Outro exemplo: pais que não dormiam juntos por mais de dois anos, pois o filho autista e com deficiência intelectual não conseguia pegar e permanecer no sono sem que um deles se dispusesse a dormir com ele. O sexo não mais existia, e o casamento, em frangalhos, padecia. A intimidade era "artigo de museu!". Com a introdução de uma medicação sedativa, essa criança passou a dormir sozinha e sem despertares noturnos. Com o tempo, o casamento voltou, a intimidade restabeleceu seus laços, e o humor do casal se modificou para melhor. As consultas passaram a ser marcadas por risadas, boas conversas e por relatos de pais que incentivavam passeios e momentos juntos.

Vários tipos de medicação, dos mais diversos grupos farmacológicos, podem ser utilizados para estabilizar os pacientes com autismo e auxiliar na melhora do comportamento deles. Os ensaios clínicos, os consensos internacionais e as vigilâncias sanitárias de vários países têm aprovado a utilização e, portanto, recomendado a Risperidona e o Aripiprazol como fármacos de primeira linha para a redução dos sintomas principais do espectro. Ambas são de um grupo farmacológico chamado de **antipsicóticos** e se mostraram mais eficazes e com menos riscos à saúde para crianças acima dos 6 anos. Eles têm o papel de estabilizar e equilibrar a presença de neurotransmissores responsáveis pela autorregulação emocional, atenção social e engajamento social. Em segundo plano, outras medicações, com menor eficácia, podem ser úteis, como: sertralina, imipramina, metilfenidato, divalproato de sódio, carbamazepina, topiramato etc. Na tabela 1, podemos ver com mais clareza essas medicações e seus principais efeitos benéficos e colaterais.[1]

GRUPOS	NOMES	AÇÕES	EFEITOS COLATERAIS
Antipsicóticos	Risperidona Aripiprazol	Flexibilidade e atenção social Controle de agressividade e estereotipias	Ganho de peso Aumento de colesterol Aumento de glicemia galactorreia
Antidepressivos	Imipramina Fluexitina Nortriptilina	Redução de hiperatividade Melhora do humor Antienurese	Perda do apetite Sonolência Irritabilidade
Ansiolíticos	Sertralina Escilatopran	Fobias sociais TOC Ansiedade	Perda ou aumento do apetite Sonolência Euforia/ Agitação
Hipnóticos	Levomepromazina Melatonina	Estabilização do sono	Lentidão diurna Desaceleração
Psicoestimulantes	Metilfenidato	Controle de hiperatividade Impulsividade Aumento de atenção para atividades estruturadas	Perda do apetite Cefaleia Irritabilidade Boca seca Tremores / Tics

Tabela 1: As medicações mais comumente utilizadas no tratamento de crianças e adolescentes com TEA.

---

1   Medicações recomendadas segundo o artigo "Pharmacological Therapies for Autism Spectrum Disorder: A Review".

Exatamente aqui podemos ressaltar a importância da medicação: ela promove qualidade de vida numa família em que, costumeiramente, a vida se desenrolava sem qualidade por anos a fio. Várias pesquisas nesse tema dentro do autismo vêm mostrando que famílias de autistas têm risco mais elevado de desenvolver episódios depressivos, ansiedade, crises de estresse, perda da vontade de sair de casa e maior chance de separação conjugal. Ao mesmo tempo, essas situações, resultantes na maioria das vezes de uma criança sem nenhum controle, pioram as condições de tratamento, reduzem as visitas às terapias, descontinuam intervenções e podem retardar a evolução dos tratamentos, prejudicando a resposta da criança a médio e longo prazos. O resultado: uma verdadeira "bola de neve" cada vez mais alimentada por fatores que se autoincentivam, a ponto de chegar ao limite e "explodir" toda a família, sendo o maior prejudicado o autista.

Portanto, uma das principais estratégias no tratamento é vigiar a qualidade de vida da família, e o uso de medicações pode contribuir decisivamente para frear a impressão para esses pais/cuidadores de que nada vai melhorar e de que tudo continuará assim, numa espiral que traz desesperança, esfacelamento mental e fragmentação do núcleo familiar. Todos esses ingredientes destroem qualquer tratamento, sobretudo para uma criança ou jovem que necessita de um mínimo de base familiar para que ele aconteça de maneira eficaz e consistente.

CAPÍTULO 5

ABORDAGENS E PRÁTICAS A SEREM APLICADAS NO DIA A DIA

COMO RELATAMOS, o tratamento do autismo é multidisciplinar, ou seja, depende de diversas formas de intervenção e da ação de vários profissionais. A linha mestra do tratamento deve ser o trabalho focado no comportamento e na correção de atrasos no desenvolvimento e deve envolver práticas tanto em espaços de consultório com profissionais especializados quanto no ambiente familiar. Essas práticas devem ser consideradas eficazes, modificando e melhorarando com certa rapidez o transtorno, e ser de fácil aplicação, para que os pais e cuidadores reproduzam suas formas de ação em casa e nos mais diversos lugares que os portadores de autismo visitam ou frequentam.

Isso significa que não basta a existência de clínicas, postos, APAEs, CMEIs para acomodar fisicamente essas crianças. É necessário que os profissionais (todos eles!) se especializem nessas práticas, capacitem-se e passem a dominar os princípios e as técnicas de cada uma delas. Nesse sentido, as instituições devem ser equipadas, capacitadas e estruturadas, e destinarem meios para transmitir as práticas a pais, cuidadores, professores e profissionais em geral que residem nos municípios. **Rapidez para corrigir atrasos de desenvolvimento e comportamentos inadequados é fundamental no tratamento do autismo.**

O conhecimento aprofundado dessas abordagens ou práticas tem o potencial de generalizar e expandir o modo de intervir, para que todos possam fazer o necessário a cada uma dessas crianças. Esse conhecimento permite que, em vez de "centros" de tratamento, possamos fazer com que todos, desde a atenção primária (postos e CMEIs) até as mais especializadas (APAEs e CAPS), reunidas com a rede escolar regular, possam tomar medidas automaticamente, sem depender de especialistas a toda hora, descentralizando esses processos. Ao mesmo tempo, vai aos poucos desafogando filas, motivando discussões entre os profissionais, afinando cada vez mais as práticas clínicas e escolares e estimulando em toda a rede de atendimento a identificação precoce de crianças com quaisquer problemas de desenvolvimento e, dentre elas, logicamente, aquelas com sintomas do espectro autista.

Abordagens comportamentais

ABA (Análise Aplicada do Comportamento, ou Applied Behavioural Analysis, em inglês)

A ABA é o modelo científico de intervenção comportamental considerado o mais eficaz para a redução de sintomas autísticos e de seus comportamentos inadequados e pouco adaptados ao ambiente. Baseada nos princípios de Skinner, alicerça suas ações em uma análise detalhada dos comportamentos iniciais da criança, em conjunto com fatores do ambiente e de seus cuidadores, que favorecem ou prejudicam o modo de ela agir.

Nesse processo, identificam-se situações negativas e positivas e descrevem-se as reações da criança nesses contextos. Delineiam-se, a partir daí, estratégias sequencias de resposta que a criança poderia ter com o uso de motivações e reforço positivo. Espera-se, assim, a modificação, aos poucos, de ações inadequadas para ações adequadas (processo de contingenciamento). Essas modificações tão esperadas tendem

ABORDAGENS E PRÁTICAS A SEREM APLICADAS NO DIA A DIA

a ocorrer de maneira mais rápida quanto mais nova for a criança com TEA, pois, na fase precoce da vida, o cérebro está mais aberto a modificações e a ações da neuroplasticidade entre os neurônios.

Contudo, alguns aspectos são essenciais para que a dinâmica de ação da ABA dê certo: 1) deve ser conduzida por profissionais especializados (qualquer um pode ser capacitado para tal); 2) cada profissional da área da saúde e da educação que acompanha a criança deve conhecer e se capacitar na ABA para utilizá-la (uma fonoaudióloga, por exemplo, vai melhorar e muito suas intervenções na linguagem usando princípios da ABA); 3) os pais devem saber sobre a ABA e manter as ações orientadas na clínica no ambiente doméstico e onde quer que a família vá com o filho; e 4) deve haver integração das ações também na escola (é necessário que o profissional da ABA visite a instituição e oriente os professores).

Além disso, desde o final dos anos 1970, seus autores mais importantes descreveram os sete critérios básicos de uma intervenção ABA. Ela deve ser:

1. Aplicada: produzir conhecimentos para a melhoria em comportamentos que tenham finalidade social para os envolvidos;
2. Comportamental: focar no comportamento em si para a mudança, e não em algo sobre o comportamento (devem-se medir fatores dentro desse comportamento, não sobre o que se diz sobre ele);
3. Analítica: identificar relações funcionais entre eventos vistos na intervenção e nas mudanças observadas no comportamento-alvo; tais relações devem ser analisadas detalhadamente por meio de coleta de dados e descrições dos procedimentos;
4. Tecnológica: definir os procedimentos de modo completo, preciso e sistemático a fim de construir um padrão que possa ser replicado pelos terapeutas e pelos pais;

MENTES ÚNICAS

5. Sistemática: alicerçar as descrições em princípios básicos do comportamento, na experiência e nas pesquisas;

6. Efetiva: garantir que as mudanças no comportamento estejam realmente presentes e evidentes, e ocasionem um avanço visível e com baixo custo para os envolvidos;

7. Generalidade: cuidar para que as mudanças durem e sejam visíveis nos mais diferentes ambientes em que a criança vive; portanto, é essencial que elas sejam informadas aos pais e à escola.

As intervenções levadas a cabo pelos profissionais capacitados em ABA devem ser estruturadas em quatro fases amplas que se repetem ao longo do processo: 1) avaliação comportamental inicial; 2) seleção de objetivos; 3) elaboração de programas; e 4) intervenção propriamente dita com avaliação constante. Deve-se analisar o repertório inicial de comportamentos da criança com TEA e devem-se observar as contingências em sessão e em ambiente natural por meio de entrevistas, também criando inventários.

Nesse processo, podem-se adotar modelos de observação verbal do comportamento e uma descrição detalhada de pequenos atos por tentativas discretas empreendidas entre o terapeuta e o cliente. A cada tentativa, faz-se um estímulo antecedente; a resposta é emitida após o estímulo e uma consequência, produzida. Após a resposta correta emitida, o terapeuta fornece um item ou evento de sua preferência previamente selecionado (reforço positivo), com o objetivo de consolidar o comportamento aprendido. Dentro dessa sequência de tentativas, procura-se: selecionar diversos estímulos, obter contato visual com o aprendiz, apresentar a instrução e os estímulos, esperar um tempo rápido para a resposta, disponibilizar ajuda em caso de não resposta, agir com reforço positivo o mais rápido possível, disponibilizar meios reforçadores variados e fazer os registros corretamente. Em suma, o modelo ABA, portanto, trabalha assim para modificar comportamentos disfuncionais no TEA.

PRT (Tratamento de Resposta à Motivação, ou Pivotal Response Treatment, em inglês)

O PRT é um modelo de intervenção comportamental naturalístico baseado nos princípios do ABA. Ou seja, um modelo ABA-símile, mas aplicável em todos os momentos da vida e do cotidiano da criança com TEA e com meios que podem ser misturados às mais diversas ocasiões. Ele pode ser implementado em qualquer espaço ou ambiente, inclusive nas escolas, sendo chamado, nesse caso, de Classroom PRT (PRT em sala de aula). Existem livros e manuais na literatura internacional sobre como direcioná-lo aos professores e potencializar os estímulos e as adequações comportamentais necessárias para reduzir déficits na criança e melhorar sua resposta à aprendizagem e à socialização na escola e em casa (ver STAHMER, A.C. et al. *Classroom Pivotal Response Treatment for Children with Autism*. Nova York: The Guilford Press, 2011).

Podemos didaticamente resumir seus componentes em nove passos: 1) estimular a atenção do aluno com autismo antes de providenciar a intervenção; 2) aplicar a instrução clara e apropriada de acordo com o nível de desenvolvimento real da criança; 3) providenciar uma mistura de intervenção mais fácil com uma mais difícil e mais motivadora; 4) implementar um controle compartilhado de ações, direcionando a criança para a escolha de atividades, e um diálogo para definir qual será a atividade escolhida; 5) utilizar múltiplos exemplos de materiais e conceitos para garantir um amplo entendimento e aguardar as respostas da criança para definir como foi seu entendimento e o cumprimento das ações; 6) garantir que o aluno responda, conclua e se manifeste; 7) estimular, pela mediação e pelo reforço positivo, uma resposta estruturada de acordo com o contexto natural da situação; 8) aguardar a resposta da criança e apresentar a consequência imediata com base no retorno dela; 9) recompensar a criança com algo ou assunto de que ela gosta e repetir o mesmo processo no futuro.

Pode ser aplicável também em crianças menores, em fase precoce de desenvolvimento, e, nesse ponto, costuma ser muito associado às ações do modelo Denver (que age nos atrasos de desenvolvimento), o que ajuda a potencializar seus resultados.

Abordagens desenvolvimentais

SCERTS (Comunicação Social, Regulação Emocional e Apoio Transacional, ou Social Communication/Emotional Regulation/Transactional Support, em inglês)

O SCERTS é um modelo de intervenção que envolve tanto elementos educacionais (TEACCH) quanto comportamentais (PRT e Floortime), mas com ênfase em trabalhar aspectos do desenvolvimento da comunicação social e numa estratégia naturalista, isto é, direcionada para ser aplicada no cotidiano e em todos os momentos da vida da criança, sua família e sua escola, e que adquira autonomia para reagir a momentos sociais nos mais variados lugares e com as mais diferentes pessoas.

Ele foca as ações em:

1. **Comunicação social:** desenvolvimento de espontaneidade, comunicação funcional, expressão de emoções com intencionalidade,

percepção e entendimento de gestos tanto com crianças como com adultos;
2. **Regulação emocional:** desenvolvimento da habilidade de manter um estado de autorregulação emocional equilibrado, para saber lidar bem com estresse e frustrações e ficar mais aberto e tranquilo para as atividades de aprendizagem escolar e interação social;
3. **Suporte transacional:** desenvolvimento de ações que auxiliem e ajudem parceiros a responder às necessidades e aos interesses das crianças, modificar e adaptar o meio e providenciar ferramentas para os processos de aprendizagem.

Por ser um modelo com perfil naturalístico e educacional, é indicado para ser aplicado no ambiente escolar, podendo ser treinado por professores de educação especial e com o suporte de fonoaudiólogos.

ESI (Interação Social Precoce, ou Early Social Interaction, em inglês)

Esse modelo de intervenção foi desenhado como um projeto de política pública para aplicar as recomendações do Conselho Nacional de Pesquisa dos Estados Unidos (2001) para crianças em desenvolvimento com autismo, utilizando meios de implementação para ser aplicado pelos pais. Baseia-se em estratégias naturalísticas de ensino e de aprendizagem em rotinas diárias, e segue a linha das ações das políticas de educação especial para indivíduos com deficiência. Pode ser iniciado a partir de 2 anos, e muitas evidências têm demonstrado sua eficácia em melhorar a comunicação social e a atenção compartilhada dessas crianças. Ele se utiliza de elementos do SCERTS e pode ser incorporado a meios de trabalho com base no currículo escolar. Apresenta as seguintes características:

1. Abordagem centrada na família e em suas prioridades, padrões culturais e necessidades. A família é envolvida na busca de objetivos para a criança e em melhorar seu desenvolvimento dentro do contexto diário;
2. Aprendizagem em meio natural e em momentos e atividades de vida diária dentro e fora de casa, nos momentos de autocuidado, nas brincadeiras no parque, em lojas, nas refeições, procurando oportunidades de aprendizado e a aquisição de habilidades;
3. Sessões individuais para desenvolver intervenções específicas (resolução de problemas, planejamento de sequências e outras habilidades ainda não adquiridas pela criança) e treino de pais para que sejam transmitidas em outros contextos reais do dia a dia;
4. Intensidade e frequência elevadas de intervenção, em até 25 horas semanais, em busca de uma modificação mais ágil e melhora das incapacidades e dos atrasos na comunicação social, autorregulação emocional diante de frustrações e contingências sociais (esperar, dar lugar, respeitar turnos compartilhados etc.) e saber agir com estratégias que devem ser sempre trazidas à tona nos mais diversos contextos.
5. Modelo estruturado do SCERTS como base: estimular e expandir na criança habilidades como gestos sociais, sons e palavras e iniciar comunicação verbal e não verbal, ajudando que compreenda o significado das palavras, inicie e responda situações de compartilhamento social, aumente a habilidade no uso funcional dos objetos, aprenda a brincar simbolicamente e desenvolva a capacidade de reciprocidade. Estimular a aprendizagem de como expressar e entender as emoções, de se acalmar e usar a comunicação para se controlar perante frustrações ou pedir ajuda, e, ainda, de se controlar para permanecer em atividades que exigem condicionamento e

flexibilidade. Enfim, empoderar a criança no sentido de ela aprender a conviver socialmente por meio de atitudes positivas.

ESDM (Intervenção Precoce Baseada no Modelo Denver, ou Early Start Denver Model, em inglês)

O ESDM foi desenvolvido para dar uma resposta intensiva de intervenção precoce completa a crianças com idades entre 12 meses e 4 anos. O principal objetivo é a redução dos sintomas autísticos o mais cedo e rápido possível, acelerando o desenvolvimento cognitivo, emocional, social e linguístico.

Foi baseado inicialmente no modelo Denver (criado em 1981), e, mais tarde, mesclado com meios de intervenção de motivação social e com os princípios do PRT, tornando-se um modelo naturalístico que estimula a espontaneidade e a generalização de ações no contexto social.

O ESDM é um meio de intervenção focado na correção de atrasos ou desvios do desenvolvimento gerados pelo autismo, buscando corrigi-los com estratégias assentadas nesses domínios: comunicação receptiva, comunicação expressiva, atenção compartilhada, imitação, competências sociais, competências de jogo, competências cognitivas, motricidade fina, motricidade grossa e competências de autocuidado. Os objetivos de aprendizagem são definidos para que sejam adquiridas habilidades num período de doze semanas. Ao final desse tempo, uma nova avaliação é empreendida e novos objetivos são delineados. Durante o processo, são incluídas formas ABA-símile, para atingir a maior atenção da criança e direcionar melhor os meios para obtenção das respostas mais favoráveis com consequente generalização.

As práticas de ensino focam-se nos aspectos afetivos (pais) e no relacionamento entre terapeuta e criança e enfatizam o desenvolvimento de competências de jogo/brincar e as técnicas de comunicação. Os adultos modelam e otimizam o afeto, a excitação e a atenção da criança, procurando usar o próprio carisma; as relações duais entre o adulto e a criança são muito valorizadas com o uso de brinquedos, em processos de reciprocidade, para o adulto buscar entender as pistas de comunicação que a criança oferece no processo. Para complementar, a linguagem do adulto tenta progressivamente se tornar mais apropriada e contextual, de acordo com o nível e a capacidade de comunicação verbal e não verbal da criança.

O envolvimento da família nessa rede de intervenções é essencial para que o modelo dê certo, a aplicação naturalística confere ao ESDM uma eficácia significativa, e a participação do terapeuta ajuda a nortear prioridades e corrigir eventuais falhas.

DIR-FLOORTIME (Desenvolvimento, diferenças individuais, baseado em relacionamento, ou, Developmental, Individual-Difference, Relationship-based Model, em inglês)

O DIR-Floortime é uma intervenção desenvolvimental baseada nos princípios do modelo DIR com ênfase em sua principal abordagem, o Floortime. O modelo DIR é baseado na ideia de que todas as crianças com problemas de desenvolvimento têm alguns aspectos em comum: 1) possuem pontos fracos e fortes, uma família e a possibilidade de aprender com finalidade funcional; 2) no seu processo de aquisição da habilidades, os fatores afetivos e emocionais têm papel fundamental, pois possibilitam intenção comunicativa, cognição social e simbolismos; 3) suas áreas cognitivas tradicionais se integram e podem ser mais bem desenvolvidas nos processos de interação social, nas expressões emocionais e no relato de pensamentos; 4) têm a necessidade de intervenção multidisciplinar; 5) a intervenção para elas deve ser mais focada em casa, pois passam mais tempo com a família.

Após anos concluindo essas observações, pesquisadores criaram esse modelo com base nas fases esperadas para o desenvolvimento normal da criança (etapas e aquisições para gerar capacidades), no indivíduo (cada um tem seu perfil e uma forma de receber estímulos do ambiente, como som e tato) e nas relações (relacionamentos como catalisadores de aprendizagem social e emocional).

A primeira meta (ou plano) do modelo é ajudar a criança a adquirir consciência de si mesma, passando por seis níveis de desenvolvimento: 1) atenção e regulação; 2) envolvimento; 3) via dupla de comunicação; 4) solução de problemas complexos; 5) formação emocional de ideias; e 6) construção lógica. Na busca para atingir essas metas, vêm as metas de segundo plano, nas quais são utilizadas formas afetivas com o acolhimento da família, a estabilidade por ela conferida, suporte regular para relacionamentos e padrões de funcionamento familiar que normalmente dão proteção física e segurança a todos esses alicerces essenciais para o desenvolvimento infantil. A regularidade e a continuidade desses relacionamentos levam a um prazer na intimidade e uma segurança que permite novas aprendizagens. No terceiro plano, vêm as intervenções ocupacionais específicas junto aos pais e, dentre elas, o **Floortime**.

Como o próprio nome em inglês já revela, Floortime significa **tempo desenvolvido no chão**. Busca-se, com esse processo, encorajar a iniciativa da criança e o comportamento intencional com atividades que ocorrem no chão, direcionando-a a brincar por meios emocionais, de maneira a progredir nos seus atrasos de desenvolvimento e aumentar, na interação com o solo, a socialização, a interação e as formas de comunicação, reduzindo com isso os comportamentos inadequados e estereotipados. Esse modelo é considerado eficaz. É apoiado em evidências científicas e comumente praticado por terapeutas ocupacionais.

Terapias fonoaudiológicas

O desenvolvimento da linguagem e a consequente intervenção nos atrasos são fatores importantíssimos para o futuro da evolução de uma criança com autismo. Respostas positivas na capacidade de comunicação e de linguagem potencializam (e muito!) as respostas aos demais tratamentos e facilitam a inserção social, especialmente na escola. Mais importante que uma criança falar é ela conseguir se comunicar, e intervir precoce e intensamente em seus processos de comunicação fortalece sua compreensão dos meios sociais.

O papel da fonoaudiologia no tratamento de crianças com TEA é muito importante e deve ser direcionado para que elas venham a adquirir as mais diversas habilidades de comunicação social, verbal, não verbal e de linguagem, aplicadas aos processos de compreensão de sentidos e contextos e por intermédio dos mais diversos meios disponíveis e desenvolvidos para esse fim. Podem-se utilizar procedimentos de intervenção verbais e não verbais, pois um não atrapalha o outro; e vale esclarecer que o segundo tipo não inibe a fala e pode até mesmo auxiliar os autistas não verbais.

Muitas vezes, o comportamento antissocial (de isolamento ou disrupção) e as estereotipias de diferentes tipos de manifestação podem atrapalhar a implementação das técnicas e reduzir a atenção da criança para com os processos sequenciais. Portanto, é importante que o(a) fonoaudiólogo(a) saiba que, para intervir em autistas, deve-se dominar, além da sua especialidade, os métodos comportamentais

(ABA ou PRT) e desenvolvimentais (modelo Denver ou SCERTS), a fim de aplicar suas propostas de maneira mais eficiente e naturalista.

Terapias ocupacionais

A terapia ocupacional tem recebido cada vez mais espaço nos processos de intervenção de crianças com TEA por trazer, em sua formação natural, propostas que vão ao encontro das necessidades delas e por demonstrar domínio de modelos de tratamento que vêm ganhando projeção, por demonstrarem ser cientificamente eficazes (como o DIR-Floortime). O terapeuta ocupacional dedica-se a práticas que envolvem praxia motora (coordenação fina e grossa, noção de espaço e tempo para cumprir etapas motoras e meios facilitadores), habilidades para as atividades de vida diária e terapia de integração sensorial.

Como sabemos, alterações motoras, de percepção e de processamento sensorial são comuns em crianças com TEA e podem ocasionar fobias, evitação social, baixo desempenho em atividades sociais, transtornos alimentares e comportamentos agressivos e explosivos. Estabilizar essas alterações pode ter um papel relevante no preparo da criança para ser inserida nos mais diversos ambientes e permitir que possa permanecer e dar a devida continuidade à socialização e à regulação emocional em ambientes sociais e nas escolas.

TIS (Terapia de integração sensorial)

As pessoas com autismo têm como sintomas centrais as três características já descritas em páginas anteriores, mas cerca de 40% delas apresentam também distúrbios de processamento sensorial ou de percepção sensorial.

Sentimos e percebemos o mundo e suas manifestações por intermédio de nossos sentidos (tato, paladar, visão, audição e olfato), e sentir esses fenômenos naturais **na medida certa e na frequência exata** nos permite interpretar exatamente como esse estímulo é, se o resultado é prazeroso ou não. Para ser assim, esse processo deve ser organizado, integrado e equilibrado dentro dos centros neurais do cérebro, com processamento e interpretação adequados, para então preparar uma resposta correspondente. Quando o estímulo permanece como ele realmente é, mas o sentimos de maneira exagerada e exacerbada, num processo de desequilíbrio em que nosso corpo não consegue processá-lo ponderadamente, temos um distúrbio sensoperceptivo.

A presença desse distúrbio em alguns autistas provoca dificuldades enormes de interação em ambientes que oferecem um número variado de estímulos visuais, auditivos e olfativos, restringindo o acesso a esses lugares e, consequentemente, impedindo a plena aprendizagem e até mesmo a permanência. Além disso, problemas sensoriais podem desencadear em crianças autistas interpretações erradas do ambiente, dos alimentos, de determinadas rotinas, de momentos de confraternização e de lazer, podendo criar, no imaginário delas, perigos inexistentes e fobias com consequentes reações de repúdio e comportamentos disruptivos ou reações interiorizantes. Como consequência, elas podem preferir o isolamento, ser acometidas de depressão, ou, ainda, desenvolver um desprazer severo ou um fascínio em relação a determinados estímulos, acarretando, por fim, prejuízos na interação social satisfatória.

Assim, nos casos em que ocorrem tais disfunções sensoriais, pode-se aplicar terapias que busquem equilibrar e integrar os meios de recepção e de processamento sensoriais. Nesse sentido, a mais indicada e consolidada na literatura é a **terapia de integração sensorial (TIS)**, cuja finalidade é intervir nesses desiquilíbrios e desnivelamentos sensoriais. Antes de aplicá-la, contudo, deve-se fazer uma criteriosa avaliação na criança, com escalas de avaliação sensoriais reconhecidas, para serem medidos os déficits ou as hipersensações e permitir, dessa maneira, o planejamento dos meios de intervenção subsequentes.

A TIS é um modelo de intervenção que procura organizar e reequilibrar as mais diversas sensações que porventura estejam dessincronizadas, ocasionando hipossensibilidades ou hipersensibilidades que, por sua vez, podem estar levando a inabilidades no planejamento motor, problemas posturais, restrições de convívio e atos exagerados de repúdio/medo. A abordagem se dá com estratégias de modulação, discriminação sensorial, competências motoras, desenvolvimento das práxis e organização do comportamento, a fim de corrigir as perturbações sensoriais nesses diversos eixos. O tratamento visa melhorar a agitação motora, o controle postural, a habilidade motora, a organização global, o ato de brincar, o prazer e a ação segura nas atividades de vida diária e permitir a formação da identidade e da participação social. No autismo, essa terapia pode assumir um papel muito importante, uma vez que é capaz de "liberar" mais a criança para as interações sociais e torná-la mais receptiva para o compartilhamento e a inserção em atividades que exigem organização e persistência executiva.

O profissional especializado em TIS, normalmente um terapeuta ocupacional, deve ser capacitado e conhecer os processos de desenvolvimento sensorial nos primeiros anos e seus efeitos nos mais diversos eixos da vida da criança, assim como ter requisitos e habilidades para avaliar e implementar o processo terapêutico.

Estratégias de educação estruturada (método TEACCH)

Criado ao final dos anos 1960 na Universidade da Carolina do Norte, o **programa TEACCH** (Tratamento e Educação para Autistas e Crianças com Déficits Relacionados com a Comunicação, ou, *Treatment and Education of Autistic and Communication Related Handicapped Children,* em inglês) é direcionado aos processos educacionais e enfatiza o trabalho integrado entre pais e profissionais, adaptando as intervenções de acordo com as características de cada um e usando formas de ensino estruturado.

As crianças devem ser avaliadas por instrumentos estruturados e reconhecidos, e o resultado dessas avaliações providenciará as bases para o desenvolvimento de um currículo coerente com o perfil da criança, facilitando a aquisição de determinadas aprendizagens e evitando frustrações. Três fatores são importantes para a adequada aplicação do sistema: 1) organização de um ambiente físico que esteja de acordo com o perfil e as necessidades da criança; 2) disponibilidade de atividades facilitadoras para a compreensão das rotinas e das sequências; 3) organização de materiais e tarefas para promover independência em relação aos adultos.

Nesse processo, podem-se utilizar modelos que auxiliem na intensificação do sistema e melhorarem a operação, como ABA, PECS e integração sensorial, e meios didáticos mais específicos para as condições de cada criança. Portanto, os profissionais, para serem capazes de utilizar o TEACCH, devem estar aptos para identificar comportamentos difíceis e lidar com eles por meio dos mais diversos tipos de intervenção. Devem saber avaliar a criança em diferentes contextos, desenvolver e oportunizar a aquisição de comunicação espontânea e as habilidades sociais e de lazer e recreação. Também devem ter uma visão transdisciplinar e generalista para que, mesmo sendo um especialista, saiba resolver problemas com certa autonomia, ter disposição para discussões multidisciplinares, buscar outros profissionais a fim de alinhar estratégias e promover um diálogo constante com os pais/cuidadores.

O TEACCH, hoje, é considerado o sistema educacional mais estudado e desenvolvido para servir de parâmetro em ações para o autismo, e muitos artigos de revisão têm validado sua eficácia. Artigos recentes têm demostrado que 30% a 40% das famílias de autistas nas redes escolares em todo o mundo o utilizam como referência para as suas atividades. Esses índices mostram que ele pode ser usado como modelo inicial para balizar as formas de oferecer e organizar processos de ensino para crianças com TEA.

PECS (Sistemas de comunicação alternativa e/ou por figuras ou Picture Exchange Communication Systems, em inglês)

Como já afirmamos, 20% a 30% das pessoas com autismo não desenvolvem a linguagem expressiva (isto é, a fala ou a forma verbal de expressão). É natural, portanto, que tenhamos como uma das prioridades buscar formas e recursos de comunicação alternativos e diferenciados para compensar a ausência da fala.

Sabe-se que problemas severos de comunicação têm direta relação com comportamentos agressivos, explosivos e até autolesivos. Uma das formas de reduzir esses comportamentos e potencializar meios mais funcionais e agradáveis de agir no mundo social é criar oportunidades para autistas não falantes se comunicarem de maneira fora do comum e fazer com que essa aprendizagem se generalize para outros contextos e pessoas.

O sistema de comunicação alternativa caracteriza-se pelo uso integrado de componentes e instrumentos variados (símbolos, recursos, estratégias, materiais, técnicas etc.) para complementar a comunicação e permitir que a sensação de isolamento e de incompreensão se reduza, e que se crie nesse processo uma ponte, um vínculo entre o falante e o ouvinte. Ao contrário do que muitos acreditam, o sistema não desestimula ou inibe a produção futura da fala, e várias evidências científicas comprovam exatamente o contrário: tem aumentado a produção da fala na maioria dos autistas não falantes.

Os sistemas de comunicação alternativa podem ser divididos em dois grandes grupos: os pictóricos (desenhos, fotos, filmes) e os linguísticos (símbolos gráficos, códigos, sinais). Deve-se avaliar o nível cognitivo do paciente para definir qual ou quais meios alternativos serão mais bem assimilados, pois, dependendo da complexidade do sistema, talvez não seja compreensível. Além desses, há ainda o sistema de comunicação alternativa por figuras, o PECS, que se baseia em representações de figuras de materiais, objetos e seres com relação direta com nossa realidade e a realidade que o rodeia, motivando o paciente a imaginar que pode conseguir o que deseja de maneira mais rápida e num processo de troca.

O PECS ensina a discriminar símbolos e a habilidade de usá-los e agrupá-los com a finalidade de comunicação e formação de sentenças. Resumidamente, o programa é dividido em seis etapas que vão sendo implementadas paulatinamente, até que as figuras atinjam o objetivo de se tornarem comunicativas. Envolve princípios de comportamento verbal e estratégias de reforçamento até alcançar a comunicação independente. As figuras podem representar rotinas, imagens de emoções, objetos do cotidiano, horários e etapas de tempo, símbolos gráficos que denotam sentido e direção, e anagramas. O PECS está hoje disponível em programas de computador e aplicativos, mas desde os seus primórdios pode ser feito e exposto em telas nas salas de aula e nos cômodos da casa das famílias, além de também ser componente de outros sistemas de educação estruturada, como o TEACCH.

Abordagens complementares/alternativas

Equoterapia

A equoterapia é um modelo de intervenção que se utiliza do cavalo como centro de suas estratégias e modalidades. O animal pode ser utilizado como instrumento cinesioterapêutico (as oscilações levam ao equilíbrio e ao arranjo postural), pedagógico (reeducação para conduzir um trote), de inserção social e também para a prática de esportes. O cavalo deve ter perfil dócil, idade avançada e ser habituado a atividades com um número grande de pessoas.

Evidências e relatos da literatura têm citado a equoterapia como benéfica para intervir em problemas motores e psicossociais, direcionada a pessoas com problemas relacionados a sequelas motoras e condições médicas comportamentais e desenvolvimentais, entre elas o autismo. Apesar de existirem poucas pesquisas confiáveis ligadas ao autismo e de haver relatos suficientes de que esse método não modifica o transtorno, a ponto de corrigir déficits quantitativos de atrasos no desenvolvimento linguístico e neuropsicomotor, a equoterapia tem sido associada à redução de fobia social e a uma maior iniciativa e flexibilidade para o engajamento social. Esses benefícios, portanto, podem ser úteis em pacientes com autismo que ainda são extremamente agressivos e relutantes com respeito a espações sociais, favorecendo as terapias de maior impacto e a escolarização.

Musicoterapia

A musicoterapia é um modelo de intervenção que se utiliza da música como recurso central para reduzir alterações de comportamento e de desenvolvimento. Muitas pessoas com TEA têm um fascínio particular pela atividade musical e podem associar as melodias a um maior interesse e atenção social. Evidências e pesquisas têm demonstrado que crianças com autismo, ao passarem por sessões de musicoterapia, demonstraram aumento no interesse social e no contato visual durante as atividades. Quando associada ao ABA, trouxe melhora no comportamento em relação ao funcionamento verbal.

Estereotipias no autismo: como conduzir?

A estereotipia é um padrão de comportamento baseado na repetição de ações, intenções, sensações e assuntos restritos e atípicos sem que haja necessariamente uma função social ou um sentido relacionado à circunstância a ao contexto. Podem ser vocais, motoras (esfregando o rosto, *flapping* de mãos), fala repetitiva, balanço de cabeça, alinhamento de objetos, automutilação, discinesias, obsessões, compulsões, portar objetos em ambas as mãos etc. É uma condição muito associada ao autismo e considerada uma das suas características mais marcantes, sendo essencial para suspeitar do diagnóstico.

Ao mesmo tempo, é uma das manifestações mais complexas de se entender e de se tratar, tanto no consutório quanto na família e escola. Talvez, um dos motivos dessa complexidade seja que ainda se desconhece seus reais mecanismos e causas. Neste sentido, duas teorias tentam explicá-la: a neurológica e a comportamental. A primeira considera

ALTERAÇÕES MOTORAS, DE PERCEPÇÃO E DE PROCESSAMENTO SENSORIAL SÃO COMUNS EM CRIANÇAS COM TEA E PODEM OCASIONAR FOBIAS, EVITAÇÃO SOCIAL, BAIXO DESEMPENHO EM ATIVIDADES SOCIAIS, TRANSTORNOS ALIMENTARES E COMPORTAMENTOS AGRESSIVOS E EXPLOSIVOS.

a possibilidade de que a estereotipia seja resultante de um distúrbio neurológico, privação social, déficit auditivo/visual, ambiente pobre de estímulos e até pode determinadas medicações. A segunda considera que a estereotipia pode ter uma função recompensadora ou atenuadora durante um ato social ou uma tentativa de cumprir uma finalidade.

As evidências mostram que ambas as teorias são válidas. Existem pacientes com autismo que realmente sofrem e se automutilam por causa de suas estereotipias, podendo acarretar machucados e até lesões permanentes. Outros não conseguem cumprir uma tarefa natural do cotidiano nem corresponder a uma interação social pois são muitas vezes impedidos e até invalidados pelas constantes repetições. Alguns pacientes relatam, por outro lado, que usam as estereotipias como forma de atenuar a ansiedade ou o medo excessivo que porventura surgem antes de um processo social, uma experiência indesejada ou uma anomalia sensorial. Pode até ser um recurso inadequado para chamar atenção de alguém.

Portanto, antes de qualquer intervenção, as estereotipias devem sempre ser estudadas com cautela. É importante determinar o papel que têm no comportamento global da pessoa com TEA para otimizar o manejo e a função na vida da pessoa, ou seja, avaliar se a esteriotipia tem papel de conforto ou de sofrimento. Sendo de conforto, busca-se ora preservar ora adequar na vida e na funcionalidade do paciente. Sendo de sofrimento, o foco deve ser o tratamento com a finalidade de reduzi-la e torná-la administrável, a fim de permitir, inclusive, que os mais diversos tratamentos para o autismo se tornem viáveis e aplicáveis. Naqueles casos em que a criança está em fase precoce de desenvolvimento, recomenda-se a redução, a fim de otimizar as intervenções e as ações naturais dela direcionadas ao desabrochar de habilidades que tenham função social.

ABORDAGENS E PRÁTICAS A SEREM APLICADAS NO DIA A DIA

As evidências e os artigos mais recentes relatam que o tratamento das estereotipias deve seguir por três eixos gerais: tratamentos comportamentais, uso de medicações e terapias sensoriais. Cada caso exigirá o predomínio de um sobre o outro e a evolução clínica determinará qual deverá assumir mais ou menos espaço na condução futura.

Enfim, precocidade e generalização!

Nem é preciso mais dizer que quanto mais cedo se iniciarem as intervenções indicadas e se intensificar a participação da família, melhores serão os resultados e mais rapidamente se observarão as mudanças positivas de comportamento, a correção de atrasos e a diminuição dos sintomas autísticos. É de extrema importância que todos saibam que o tratamento do autismo é longo, com evoluções que surgem aos poucos e momentos que podem passar a impressão de piora, e tais características exigem fidelidade e frequência constante nos atendimentos e um trabalho permanente em casa e na escola. Na grande maioria dos casos o autismo não vai desaparecer, mas se atenuar, com redução dos sintomas, saltos em algumas habilidades, melhora na interação social, diminuição dos comportamentos agressivos e hiperativos, e o que mais se espera: o desaparecimento das estereotipias e da ecolalia.

A intensidade e a frequência dos passos das intervenções devem ser, respectivamente, elevada e constante. O uso repetitivo das ações incluídas nos tratamentos e a identificação de fatores que ora promovem, ora prejudicam o andamento nas rotinas e nos mais diversos ambientes são fundamentais e devem ser pontuados detalhadamente para a estruturação de novas estratégias. Muitas crianças podem não se encaixar bem em determinados tipos de terapias e necessitar de outras formas de manejo. Em algumas situações, precisam de dois, três ou até quatro métodos simultâneos, ou um método mais urgente antes e, sequencialmente, outro logo depois. Ou, ainda, há casos em que é necessária, nas terapias, a utilização de determinados materiais e estruturas para otimizar o engajamento e a motivação do paciente. Crianças com autismo cansam rapidamente e costumam precisar de tipos diferenciados de suporte para manter a atenção por mais tempo. Podem, em decorrência disso, ficar chorosas, irritadas e agressivas. Assim, não se pode desprezar a possibilidade de, até mesmo, retirar a criança da sala e levá-la para espaços diferentes (quintais, mercados, praças, pátio da escola, centros infantis etc.), com o objetivo de reduzir o estresse e a inquietude típica da impaciência social.

A participação constante e engajada da família é fundamental para que as terapias funcionem e, de fato, levem à modificação consistente, pois em ambiente natural essas estratégias ganham ainda mais força, e a criança passa a generalizar o que foi corrigido ou aprendido nas clínicas. Conhecer bem os métodos, fazer cursos, envolver-se em discussões clínicas, trocar ideias com outros pais, tudo isso ajuda a dinamizar e a melhorar ainda mais as condições do tratamento de seu filho. O diálogo entre pais/cuidadores, professores e profissionais de saúde permite que todos, em consenso, aprimorem, cada um em seu lugar, as ações e aprendizagens que vão surgindo pelo caminho e pelos percalços. Além disso, intensifica o comprometimento dos pais, permite que cada um fiscalize o outro e promove a qualidade do tratamento como um todo.

Cabe à família incentivar e generalizar rotinas e regras, ensinar à criança hábitos de vida diária, expô-la ao convívio com os outros nos mais diversos lugares e nos eventos típicos de sua comunidade. Também cabe aos familiares protegê-la dos perigos, da falta de percepção do que machuca ou não, ensinar meios de autodefesa, organizar suas ações, dedicar tempo para ensinar contato visual, ajudar passo a passo determinadas incapacidades e mediar formas de compartilhamento de experiências. Cabe aos profissionais orientar detalhes, meios favorecedores e caminhos estimuladores a pais/cuidadores em cada etapa que a criança atingir, além de incentivar a aquisição de materiais e de meios de proteção sensoriais para ambientes sociais e para determinadas ocasiões e circunstâncias de aprendizagens específicas.

Muitas vezes, nessa longa trajetória, os pais/cuidadores desanimam, relatam que parece que nada está funcionando, que não têm mais tempo nem dinheiro para nada, e levantam a possibilidade de desistir ou mudar de profissional ou de método. Circunstâncias da vida podem modificar a renda e a integridade do casal, além de prejudicar o andamento e a constância das terapias, expondo o seio familiar a problemas depressivos, crises conjugais, separações. Aqui, então, vai um recado a todos: um fator muito importante no andamento desses tratamentos é **sempre observar como está o ambiente familiar**! Os profissionais médicos e não médicos devem averiguar regularmente como andam os humores e os problemas pontuais que porventura possam desestabilizar a vida familiar e deteriorar o tratamento da criança ou do jovem autista. Não é raro que seja necessário o tratamento psicológico e até psiquiátrico dos cuidadores nas situações em que o equilíbrio mental e a integridade física dos envolvidos estão em risco.

CAPÍTULO 6

INCLUSÃO NA ESCOLA: UM CAPÍTULO À PARTE

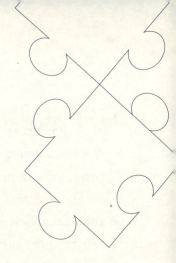

A ESCOLA ESTÁ PARA A CRIANÇA com autismo assim como a família está para a saúde mental de seus filhos. Ela proporciona um ambiente propício para servir de observação e meio de intervenção nas habilidades sociais de qualquer criança, mas, no autismo, faz uma diferença significativa no desenvolvimento e na melhora de comportamentos agressivos e estereotipados. Sempre após o diagnóstico, orientamos aos pais que a primeira atitude que devem tomar é escolarizar o filho.

O ambiente escolar é um espaço que simula, em muitos aspectos, a nossa sociedade, com suas imposições, rotinas, horários, oportunidades constantes de interação social (imitação, compartilhamento, reciprocidade, atenção social), treino de frustrações, aquisição de diversos tipos de linguagens, hierarquias, processos de ensino-aprendizagem de leitura, escrita e matemática e atividades físicas com estimulação motora e espacial. Enfim, tudo de que um autista precisa, e ir para a escola é uma grande oportunidade de ele se desenvolver globalmente.

Qualquer pai sabe que colocar o filho na escola pode ser, inicialmente, um desafio, pois as crianças não estão habituadas umas às outras e ao ambiente, e isso pode gerar alguns incômodos. Com pais de autistas isso não é diferente, mas os desafios deles costumam ser bem maiores, uma vez que têm um filho que não responde bem à mudanças, a novos contextos e a novas pessoas.

Por apresentarem interesses rígidos e preferências excessivas que praticamente nasceram com elas, um ambiente novo, com novas cores, formas, pessoas, barulhos, rotinas e espaços, pode ser extremamente agressivo às crianças com autismo. Os pais/cuidadores devem começar a levar o filho para a escola bem antes do início do ano letivo, diariamente, mostrando os muros, a entrada, as escadas, as paredes, entrando na futura sala de aula, para que aos poucos ele perceba tudo à sua volta com tranquilidade e se acomode ao novo.

Mesmo assim, não raramente, as crianças se negam a permanecer na escola, e os cuidadores podem (e devem) ser convidados a ficar com elas nas primeiras semanas. Aqui vai uma observação muito importante: ao contrário do que ocorre com crianças típicas, em que se orienta os pais a deixá-las e irem embora para casa, no autismo a atitude deve ser mais compreensiva, flexível e com um espírito conciliador com a nova realidade. Os cuidadores podem ficar algumas horas e ajudar a criança a se adaptar, dando-lhe maior segurança e servindo de mediadores, até que a escola se acostume com a criança e também se adapte a ela. Podem aproveitar para dar dicas e fazer observações sobre o espaço onde o filho ficará, alertando sobre situações que podem ajudar ou atrapalhar. Também podem aproximar o filho do professor, para que a criança inicie aos poucos, num processo de transição, uma interação harmoniosa com ele e passe a identificá-lo como alguém da família, aceitando o novo lugar como parte da rotina.

A criança com autismo chega à escola: a inclusão começa!

Você sabe o que significa inclusão? Significa que todas as pessoas devem ter acesso, de modo igualitário, a um determinado grupo, sistema, espaço ou processo de capacitação e de aprendizagem. Assim, não se deve, nesse processo, tolerar nenhum tipo de discriminação de gênero, etnia, religião, classe social, condições físicas, psicológicas, neurodesenvolvimentais e psiquiátricas. **Não tolerar nenhum tipo de discriminação** significa não menosprezar, não isolar e não impedir ninguém, mas também significa criar novas condições dentro de um espaço ou instituição, melhorar a harmonia entre os diferentes, prevenir ações conflituosas, reduzir os riscos de acidentes, de assédio e de *bullying*. Nesse sentido, deve-se também promover a atualização e a capacitação dos agentes adultos responsáveis pelas mais diferentes práticas que conduzem as ações dentro desse sistema, para que não somente **a oportunidade de igualdade** ocorra, mas também a chance de, **sendo diferente**, conseguir aprender no seu ritmo e assimilar as propostas pedagógicas e os conteúdos.

Na escola, o aluno com autismo se encontra dentro das ações previstas para crianças e adolescentes portadores de Necessidades Educacionais Especiais (NEE), que, além de ter a aprendizagem como meta a ser alcançada, traz em sua proposta a integração desses estudantes com os alunos típicos, para que estes saibam respeitar as limitações de quem tem autismo e favorecer sua presença na escola, interagindo com eles, protegendo-os de momentos socialmente críticos, desenvolvendo empatia e criando uma nova cultura.

Existem vários tipos de inclusão, mas cabe aqui ressaltar dois: a escolar e a social. A **escolar** deve direcionar ações para a assimilação de regras e rotinas, para o engajamento acadêmico nos processos que envolvem leitura, escrita e matemática, para a estimulação de habilidades relacionadas a um bom convívio com autoridades e para o cumprimento de atividades que exigem prazo, método e prática compartilhada. A **social** deve direcionar ações para o compartilhamento de sentimentos, atividades e discussões, para desenvolver a tolerância e a paciência ao lidar com o diferente, com a diferença e com os conflitos da desigualdade, tão implícitos nas relações humanas e nas demandas do ambiente escolar.

Essas ações, em conjunto, podem resultar na aprendizagem da aquisição de habilidades sociais e de diversas linguagens, e a escola pode ser decisiva por oferecer de maneira institucional, democrática e homogênea essas habilidades, independentemente de como andam as condições materiais ou afetivas da família do aluno com autismo. Aliás, quando falamos em autismo, não dá para separar inclusão escolar da social, pois, para que funcionem, ambas devem se alimentar uma da outra e promover, juntas, um estado de paz e estabilidade para os comportamentos e as aprendizagens desenvolvidas dentro de seus muros. O que significa isso? Que, se não existirem ações de inclusão social, a inclusão escolar não vai acontecer, e o contrário também não.

Assim, podemos dividir didaticamente as ações de inclusão escolar para a condução das crianças e adolescentes com autismo em quatro eixos:

1. **Institucional:** envolve os aspectos físicos da escola, a capacitação e atualização de gestores e professores, o uso de materiais, estruturas organizacionais e tecnologias assistivas, e entrevistas com pais e cuidadores;
2. **Socialização:** ações que favoreçam empatia e habilidades sociais, desenvolvimento de linguagem social/emocional/duplo sentido, educação de autodefesa e prevenção de *bullying*;
3. **Adaptação curricular:** suporte nos processos de veiculação dos conteúdos, aprendizagem dentro do nível de escolaridade, eleição de prioridades (do básico ao mais complexo, do potencial para as limitações, dos meios mais motivadores para os mais enfadonhos), uso de modelos de educação estruturada e de avaliações adequadas para cada caso;

4. **Aprendizagem da leitura, escrita e matemática:** avaliação das habilidades cognitivas e dos pré-requisitos para os processos de leitura/escrita/matemática ao chegar à escola, solicitação ou não de professor de apoio individualizado/salas de recurso multifuncionais/reforço escolar.

No mundo do autismo, um bom professor é aquele que...

... entende, em primeiro lugar, que pode aprender muito com a criança com autismo. Que mesmo sendo difícil ser professor de autistas em nossa realidade, dirá aos cuidadores/pais que fará o possível, ainda que precise da ajuda deles. Que mesmo que nada saiba sobre o autismo, vai agora estudar, ler, ver vídeos especializados, fazer cursos para finalmente aprender. Que mesmo tendo adquirido toda a teoria possível, nada vai superar a importância da prática, do dia a dia, dos fracassos, dos sucessos, das incompreensões, dos improvisos e da alegria de terminar o dia e dizer a si mesmo: consegui!

... busca compreender pais desesperados, cansados que choram, dizendo quase todos os dias que nada vai ajudar seu filho. Que muitas vezes sente que um professor de apoio para aquele aluno autista é importante e, por mais que se ache autossuficiente, vai entender que mais um professor é necessário numa sala que já tem mais 30 alunos. Que sabe conversar e aceitar recomendações de equipes de saúde e de pedagogos especializados em educação especial. Que saberá discutir e brigar pelo seu aluno quando tiver embasamento científico e argumentos razoáveis. Que fica de olho em alunos típicos maldosos, que tentam maltratar seu aluno autista, assumindo uma postura de ajuda e solidariedade, além de prevenir o *bullying*.

... procura a oportunidade para se capacitar e exige ser treinado para identificar a melhora cognitiva e o avanço pedagógico dessas

NO MUNDO DO AUTISMO, UM BOM PROFESSOR
É AQUELE QUE ENTENDE, EM PRIMEIRO LUGAR,
QUE PODE APRENDER MUITO COM A CRIANÇA
COM AUTISMO.

crianças, conhecendo suas peculiaridades individuais, para sempre que necessário intervir e contribuir.

Enfim, que pode fazer a diferença na família que precisa de suas palavras de afeto, de um olhar de esperança, mesmo que mínima, e da certeza de que na sua escola o filho daqueles pais terá um espaço que o respeita e o **entende...**

Inclusão institucional

As instituições – sejam quais forem em sua grande maioria – não foram estruturadas para receber crianças com autismo. Apesar de a lei de inclusão ser de 2007, grandes esforços foram empreendidos mais na acessibilidade física dos prédios, nos acessos aos mais diversos setores dos edifícios, mas pouco se fez para capacitar e propiciar a devida e periódica atualização dos recursos materiais, tecnológicos e dos professores e gestores educacionais. A impressão que se tem é esta: para deficientes físicos, as medidas foram levadas à frente, mas, para aqueles com comprometimento cognitivo (como os portadores de autismo), pouco ou nada foi modificado, promovido ou pensado sistematicamente.

Somos testemunhas de que as estruturas das escolas não priorizam as dificuldades (quiçá se lembram delas) daqueles educandos com TDAH, dislexia ou deficiência intelectual, e o autismo está entre elas. Como descrito em outras partes deste livro, as pessoas com TEA apresentam várias restrições sensoriais, sensitivas e fóbicas, têm problemas em perceber informações que não estejam bem claras e diretas e se confundem com palavras e termos abstratos ou que tenham duplo sentido. As escolas e as instituições em geral devem, portanto, assumir meios de comunicação visuais e auditivos que facilitem o entendimento pela pessoa com TEA e se dedicar a construir prédios e constituir regras que aliviem e reduzam os estímulos e os incômodos para esses pacientes.

A escola deve buscar materiais variados para embasar as práticas pedagógicas, uma vez que pode receber em seu grupo de alunos os mais diversos tipos de pessoas com autismo. Deve, inclusive, estar preparada para o eventual uso de tecnologia digital para determinadas aprendizagens nos autistas que precisam de recursos para alavancar a memorização e a motivação.

A chegada da criança deve ser acompanhada de boas-vindas e acolhimento. Deve-se fazer uma longa entrevista com os pais/cuidadores, dando ênfase nos pontos positivos e preocupantes do comportamento, o que melhora ou piora, quais as hipersensibilidades, os medos, as hesitações, e como vem sendo o nível de aprendizagem. Fazer uma checagem da cognição, da linguagem e do nível de aprendizagem do aluno.

Os profissionais da escola, sejam da área de gestão ou da sala de aula, devem conhecer e entender sobre o autismo e assumir – juntos e como uma verdadeira equipe – uma postura de compreensão, em que cada um de cada área dará o seu melhor para promover o trabalho e as habilidades do outro. A capacitação e a atualização constantes de todo o estafe escolar é mandatória e imprescindível, pois novas técnicas e ideias cada vez mais sofisticadas e simples têm surgido para auxiliar autistas na escola.

Muitos professores têm medo de encarar e interagir com autistas, e grande parte dessa hesitação é resultado da falta de conhecimento e de experiência acerca do **como fazer**. Na realidade, apesar de a lei de inclusão ter sido instituída há mais de dez anos e a do autismo há mais de cinco anos, os professores não foram preparados nem treinados periódica e sistematicamente como agentes desse processo. É essencial capacitá-los. Assim se reduz as desconfianças e os riscos de abandono dessa criança dentro da própria sala de aula; e isso proporciona, quase automaticamente, uma melhora na relação com a gestão da escola e a autoestima do professor. Essa capacitação permitirá refazer e refundar a relação dos professores com autistas, pois se quebrarão mitos, como o de que autistas não aprendem ou são violentos. Estimulará na mente de todos, dentro da escola, o aparecimento de uma nova cultura e de um novo olhar sobre as necessidades sensoriais, as fobias e as comorbidades no TEA, com o intuito de prevenir crises e diminuir os riscos de faltas e abandono escolar.

Inclusão social

A busca do conhecimento sobre o TEA tem vários objetivos, mas o mais importante dentre todos é este: conquistar o espaço que cabe e que é de direito a essa criança ou jovem no mundo que o rodeia, onde ele finalmente será compreendido e, por extensão, poderá entender melhor quem convive com ele. Mas, antes de tudo, um recado muito importante: **a melhor inclusão é aquela na qual, ao descobrir cedo um problema, busca-se medidas de intervenção para reduzir prejuízos no desenvolvimento e algumas inabilidades de comportamento, e, portanto, ajuda a melhorar na criança algumas habilidades que estavam ausentes ou muito atrasadas e começa a proporcionar a ela a possibilidade de ter mais potencialidades do que limitações no futuro.** Sempre que avaliamos uma criança com necessidades especiais, temos que especificar seus pontos fortes e fracos. A inclusão social no autismo exige, antes de tudo, saber quais são os pontos fortes e os pontos fracos da criança ou do adolescente; esse é o ponto de partida para entender como incluí-lo socialmente. É claro que no caso da escola, onde existem crianças de todos os tipos e não há intimidade familiar com o autista, os pontos fracos precisam ser mais bem observados, para se evitar que sofra *bullying*, venha a desenvolver fobias sociais e quadros depressivos e passe a encarar a escola como um lugar hostil e que, portanto, deve ser evitado.

Socialmente, os pontos fracos mais evidentes podem ser divididos em duas formas bem marcantes (embora ocorram simultaneamente na vida da criança com autismo):

1. Falta de empatia e de percepção social

Uma das principais características de quem tem autismo é a falta de empatia e de percepção social. Empatia é, intuitivamente, saber se colocar no lugar do outro e perceber seu sofrimento, sua alegria, se está em desacordo com algo, sem que a pessoa fale ou se explique. Apenas vendo a sua expressão facial e sua postura corporal, ouvindo seu tom de voz ou por sinais ou traços de seu comportamento. Quando temos empatia, fazemos uma varredura no ambiente e tentamos sentir o clima emocional do lugar e das pessoas antes de tomarmos uma decisão ou fazermos um comentário. Esperamos uma ou outra falar ou demonstrar uma ação, analisamos e, aí, reagimos, de maneira equilibrada e emocionalmente adequada. Controlamos nosso tom de voz e nossas atitudes imediatamente antes de tomarmos uma postura ou direcionarmos nossas ações, a fim de não magoar ou humilhar as pessoas. A empatia permite que nos antecipemos, planejando melhor como vamos iniciar um diálogo ou uma exposição em um encontro social. Sofremos com o sofrimento alheio, sorrimos com o sorriso alheio, passamos a sintonizar nossas emoções às emoções do grupo. Enfim, a empatia é uma das habilidades de percepção social mais importantes na construção de relacionamentos com as pessoas e na organização de nossas ações para com elas. Por meio da nossa percepção social, desenvolvemos a comunicação e aprendemos a flexibilizar nossos interesses e diversificar nossas atividades, sempre de acordo com as imposições e preferências das pessoas e das instituições que nos cercam.

Quem tem o espectro autista tem pouquíssima ou nenhuma empatia ou percepção social, e as consequências no convívio com outras pessoas são muito ruins, debilitando, e muito, a capacidade de interagir, defender-se, prevenir-se de problemas a partir do que fala ou do que ouve dos outros, e isso reduz bastante sua habilidade em reagir bem aos conflitos comuns do convívio social. Ao mesmo tempo, os portadores de autismo são excessiva e ingenuamente honestos, francos e diretos, e não conseguem deixar de falar tudo o que pensam de alguém ou de um lugar, entregando-se, sem perceber que estão se expondo ao ridículo ou sendo inconvenientes.

Não olham muito nos olhos, dando a impressão de que não estão interessados ou que são mal-educados. Não sabem transmitir nem a real, nem a fictícia intenção de seus atos, não fingem, não dissimulam e não sabem esconder informações que deveriam ser omitidas ou expressas num momento mais adequado. Tendem a deixar o interlocutor falando sozinho durante uma conversa ou, subitamente, entram com assuntos fora do contexto ou que obviamente não interessam ao grupo em que se encontra.

Imagine, agora, esse indivíduo na escola, numa festa, num encontro íntimo ou numa confraternização social. Imagine no dia a dia como é conviver com tais limitações. Essa criança ou esse jovem tem, portanto, enormes restrições para dar conta de cada momento social de sua vida e se expõe aos mais diversos problemas de socialização e de inserção em grupos. Na adolescência, tudo pode se tornar insuportável, a ponto de evoluir para faltas na escola, isolamento e evitação social, crises de pânico, ansiedade, episódios depressivos e até suicídio.

A escola, portanto, não pode ser negligente! Deve estar atenta a essas inabilidades e vigiar esses jovens em seu espaço, prevenindo chacotas, atos de exclusão, sarcasmos recorrentes e reações inadequadas do grupo social, cujos integrantes em geral não os entendem ou se aproveitam dessa fragilidade, passando a agir de modo hostil ou com escárnio. Os pais devem conversar com os professores e com a coordenação, e todos criarem uma rede de proteção. Conscientizar os alunos da escola sobre o que é o autismo pode ajudar muito, assim como eleger, no grupo, pessoas que têm naturalmente uma maior habilidade social para defender o aluno com autismo de momentos críticos. A psicoterapia e os pais ajudam muito nesse processo, orientando-o e capacitando-o socialmente com dicas, estratégias e métodos que já existem na literatura médica e não médica.

2. Pouca ou nenhuma linguagem social (verbal e não verbal)

Nossas palavras e nossos gestos definem como nos comunicamos, e moldam a forma com que transmitimos recados e intenções. Muito do que falamos ou expressamos por ações transmite mensagens que podem ser interpretadas diretamente, sem entrelinhas, dentro do que está acontecendo naquele contexto, ou, então, assumir duplo sentido ou um significado subliminar, que se esconde sob a superfície.

INCLUSÃO NA ESCOLA: UM CAPÍTULO À PARTE

Existem palavras e frases em nosso vocabulário que, embora tenham um significado explícito, em determinado momento ou contexto passam uma impressão totalmente diferente. Vejam a palavra "manga". Ela pode ter vários significados dependendo do contexto, não é mesmo? Pode ser uma fruta, parte de uma camisa, um sobrenome. Pode até ser usada em expressões de linguagem, como uma metáfora (Esse trabalho dá "pano para manga!"). Chamamos esse recurso de linguagem prosódica ou pragmática.

Quando conversamos ou dialogamos, usamos recursos em nosso discurso como tom de voz, entonações longas ou curtas, "temperos", como alterações de ritmo e volume de voz, que induzem a uma intenção específica (ameaça, tristeza, raiva, negação, fracasso, recuo, euforia etc.), sem precisarmos explicar detalhadamente. Chamamos tudo isso de componentes não verbais de comunicação.

Pessoas com autismo não têm tais elementos em seu repertório de comunicação. Elas não conseguem entender o que está por trás de expressões, tons diferentes de voz e palavras que assumem diferentes significados de acordo com o momento. A intencionalidade e a dissimulação implícitas nas palavras são ignoradas por essas pessoas, que interpretam tudo literalmente e não conseguem extrair das palavras e expressões o que realmente o interlocutor quis dizer. O mesmo ocorre com leituras de textos, expressões escritas, desenhos e figuras, anúncios, interpretação de ditados populares, piadas, palavras sarcásticas, de conteúdo regional ou que transmitem recados sexuais. Elas podem, portanto, ser facilmente enganadas, ficar "boiando", aceitar as falas sem reagir ou questionar, ou entender "do seu jeito", e, ainda, reagir mal ou de modo errado. Muitos autistas brigam, batem, xingam, pois entenderam errado, e podem ser tachados de violentos por causa disso. Outros, resignados, podem se calar e se isolar.

Portanto, ao conversar com pessoas com autismo, devemos ser diretos, objetivos, falar de maneira autoexplicada, sem entrelinhas e evitar o uso de expressões de duplo sentido. A mesma atitude deve-se ter no momento de produzir avaliações escritas e ponderar ao corrigir uma redação escrita por eles. Pode-se, também, treinar os alunos com autismo para memorizar essas expressões; assim, aos poucos eles vão entendendo ou perguntando o que de fato o outro quis dizer.

Nem é preciso afirmar que tais limitações também podem levar às mesmas consequências da primeira forma analisada, e que os problemas na escola também podem ser gerados por tais incompreensões. Evidentemente, a conduta dentro da instituição deve ser de conscientização, proteção e prevenção ao *bullying*.

Adaptação curricular

Nas escolas, pessoas com autismo necessitam de meios e modelos diferenciados e específicos que possam servir de base para uma boa condução de sua aprendizagem e de seu conforto no contato com os demais alunos e também para conseguirem permanecer na instituição. Dentro das mais variadas estratégias, é importante ressaltar que cada criança com autismo tem características únicas e, ao mesmo tempo, uma enorme variabilidade de comportamentos e de reações dentro dos espaços que envolvam pessoas e imposições sociais.

Assim, o processo de ensino-aprendizagem deve ocorrer dentro de um programa educacional individualizado, que respeita as limitações e as características do aluno e direciona todas as ações a partir de como ele chega à escola. Deve-se primeiramente avaliar quais as maiores restrições que apresenta nas áreas de habilidades cognitivas e linguísticas, no comportamento emocional, nas habilidades sociais e na capacidade física e de autocuidado. A participação dos pais é imprescindível, pois eles conhecem cada detalhe da vida do aluno e podem revelar dados que serão levados em conta para construir cada passo: como o filho se comporta em casa e quais são suas maiores dificuldades em relação a alimentos, sensorialidade, habilidades motoras, reações a conflitos e estresse ambiental, o que funciona no contato com ele e o que não funciona de jeito nenhum.

A partir desses dados, deve-se desenvolver um plano por escrito, baseado no perfil da criança, nas impressões e nas informações trazidas pelos pais e na participação de profissionais da escola. Esse plano deve detalhar:

1. Objetivos realistas para serem atingidos funcional e academicamente para aquela determinada criança;
2. Definição do local mais apropriado para ela permanecer na escola (incluindo sala individual ou sala de aula comum, ou ainda outros tipos de sala da escola);
3. Conhecer outros tipos de suporte, testes ou intervenções que porventura estejam sendo implementados na criança para remediar atrasos ou trabalhar comportamentos difíceis, e qual a duração e a periodicidade deles, além dos detalhes de como são conduzidos;
4. Criar um plano de transição (se a criança está entrando agora na escola ou se existe a necessidade de fazer alterações nas propostas pedagógicas);

5. Desenvolver um currículo ou metodologia específica para a criança;
6. Se a criança será envolvida (e como) em atividades do currículo geral, do extracurricular e dos processos não acadêmicos (jogos, brincadeiras sociais, musicoterapia, arteterapias, atividades comunitárias etc.).

Esses primeiros passos devem ser estruturados pelos pais, o professor da criança, a coordenação pedagógica e por profissionais de saúde e de educação especializados. Mas outros também podem participar, como o médico que acompanha a criança, advogados, profissionais de serviço social e parentes cuidadores. Essas ações permitem que se delineie um plano inicial e se elabore uma estratégia. Iniciado todo o processo, deve-se periodicamente avaliar os avanços em reuniões e reavaliações.

Antes que você, leitor, pense que essa adaptação parece irreal ou inalcançável na realidade brasileira, é preciso afirmar que, com algum esforço, pode-se, sim, implementar esse processo. O primeiro passo é a escola dar mais espaço aos pais na hora de decidir sobre o que fazer com seu filho/aluno. Temos presenciado embates e discussões entre pais e escolas, e pelo visto são ações contraindicadas e infrutíferas. Quem sai perdendo é a criança. Por isso, unam-se! Outro problema em nosso contexto é a separação constante entre as áreas de saúde e educação, a qual acarreta, há anos, gargalos e travas na contratação de profissionais originalmente vindos da saúde para trabalhar na educação, fazendo com que a escola não consiga ter a um só tempo, em seu espaço, os dois tipos de profissionais. A única instituição brasileira que conseguiu esse feito foi a APAE. Como ela nasceu fora da estrutura rígida dos nossos governos, foi adquirindo esse perfil de união entre as áreas de saúde e educação **por respeitar as necessidades de seus alunos**. Assim, dentro da proposta da APAE, em cada município em que se encontra, vemos a equipe pedagógica e a clínica atuar lado a lado dentro dos seus muros. Cada criança é avaliada e conduzida dentro de parâmetros biológicos, sociais, afetivos e didático-pedagógicos com um diálogo constante entre os profissionais de ambas as áreas. Além disso, o trabalho baseia-se na constante comunicação com setores de serviço social, na promoção de garantias legais para os alunos e as famílias e no incentivo à autodefesa e à autonomia dessas crianças dentro de seus limites biologicamente determinados. Os resultados têm sido satisfatórios e muitas vezes surpreendentes. Várias dessas crianças acabam sendo encaminhadas para as escolas regulares ou reconduzidas para a antiga instituição, nos casos de a rede regular não ter conseguido dar conta das dificuldades delas. Podemos afirmar que esse "modelo" poderia ser (e é, na realidade) um dos alicerces para essa "nova" escola, que passaria, assim, a ter "cara" de inclusiva dentro do nosso contexto. Reconhecidamente, esse tipo de abordagem educacional passou a fazer parte da rede pública, e sua integração tem sido constante.

Naturalmente, a adaptação curricular deve respeitar a idade e o nível intelectual das crianças. Abaixo dos 5 anos, a prioridade é intervir nos atrasos de desenvolvimento e nos déficits em pré-requisitos para leitura/escrita e matemática, e na redução de comportamentos agressivos e estereotipados. A equipe da escola deve estar preparada e capacitada para auxiliar e ajudar a intervir nessas alterações ao lado das famílias. Com isso, a criança deverá alcançar melhores condições para poder conviver com os amiguinhos e adquirir a formação dentro de suas limitações cognitivas, linguísticas e intelectuais. Para alunos com mais de 5 anos, o trabalho deve ser em dois eixos: 1) quais os atrasos e os comportamentos que ainda precisam ser trabalhados; e 2) em que condições de aprendizagem de leitura, escrita e matemática essa criança está chegando à escola. Por isso, a avaliação individual e multidisciplinar é imprescindível, pois cada especialidade dará sua contribuição para identificar as maiores limitações e também as potencialidades, servindo de base para os processos didático-pedagógicos necessários.

Via de regra, os autistas têm maior capacidade de memorização e aprendizagem quando se usam caminhos visuais planos, apoio em elementos concretos e por meio de aprendizagem sem erro. Por causa da variedade de sintomas do espectro, pode haver exceções, mas, em linhas gerais, devem-se evitar formas muito abstratas e o uso de caminhos hipotéticos. Também não se deve esperar que o aluno desconfie ou perceba nas entrelinhas o objetivo do que você quer ensinar, pois autistas têm grande dificuldade em compreender linguagens sociais, contextuais ou subliminares. Quanto mais precoces o diagnóstico e as intervenções, e mais leves os sintomas, menor será a dependência para essas adaptações. Quanto mais entrosadas as equipes de intervenção saúde-educação e mais espaço se der às famílias na elaboração do currículo, mais fácil será a adaptação e melhor será a resposta da criança ao que foi planejado.

Aprendizagem da leitura, escrita e matemática no autismo

Como descrevemos neste livro, o TEA tem quadro clínico e comportamental extremamente variável, com diferentes intensidades, e, portanto, aspectos cognitivos e habilidades ora preservados (em alguns), ora deficitários (na maioria), ora excepcionais (na minoria). Como se isso fosse pouco, 50% dos autistas apresentam deficiência intelectual, 85% têm 2 a 5 comorbidades que podem afetar negativamente suas habilidades ligadas aos processos escolares, como TDAH, TOD, transtornos de ansiedade, transtornos de linguagem e de coordenação motora, problemas sensoriais etc. Somados a esses fatores, ainda há muitas crianças com diagnóstico tardio de autismo (com mais de 5 anos e sem nenhum tipo precoce de manejo de seus problemas de desenvolvimento, deixadas sem intervenção alguma) que chegam à escola sem condições de serem plenamente alfabetizadas ou de aprenderem conceitos e fatos matemáticos.

Com tudo isso, é natural que os efeitos na aprendizagem também se revelem variáveis. Autistas com deficiência intelectual apresentam restrições enormes para a vida escolar, pois são extremamente dependentes nas atividades básicas de vida diária; mesmo nas ações mais simples eles têm baixo nível de compreensão e não conseguem abstrair, imaginar, inventar nem aplicar os processos mais difíceis e simbólicos, bem típicos da aprendizagem acadêmica. Portanto, o direcionamento nesses casos deve ser ensinar habilidades básicas de vida diária e das rotinas de autocuidado. Autistas de nível moderado a severo, mesmo sem deficiência intelectual, também podem ter grandes dificuldades na aprendizagem de leitura, escrita e matemática e não avançar no ritmo esperado de evolução de sua escolaridade.

No que concerne àqueles com nível intelectual normal, a variabilidade também é um fato. Alguns autistas podem ter um rendimento normal, proporcional à sua turma de mesma idade e escolaridade, e outros podem ter baixo rendimento em algumas matérias ou em todas.

Em muitos casos, entretanto, o autismo pode vir com algumas habilidades excepcionais (superiores às dos indivíduos neurotípicos) ou pontos fortes em certos tipos de funções, como: **coordenação visuoespacial, resolução de problemas não verbais, memória visual e auditiva para imagens verbais simples e diretas, percepção de detalhes de assuntos ou atividades que o fascinam e reconhecimento de letras, números, cores, figuras e formas geométricas.** Por outro lado, seus pontos fracos em geral são: **menor capacidade de iniciativa**

OS AUTISTAS TÊM MAIOR CAPACIDADE DE MEMORIZAÇÃO E APRENDIZAGEM QUANDO SE USAM CAMINHOS VISUAIS PLANOS, APOIO EM ELEMENTOS CONCRETOS E POR MEIO DE APRENDIZAGEM SEM ERRO.

e execução, pouca percepção social embutida em expressões e textos, baixa capacidade de memorização do significado das palavras, pouca coordenação motora para escrita, interpretação e desempenho insatisfatórios em narrativas, análise e síntese de informações e abstração e em transdução de símbolos e propriedades matemáticas.

Comumente, podem ter dificuldades de aprendizagem frequentes que podem ocorrer nas mais diferentes fases da escolaridade e durar um ou anos ou com recidivas frequentes nos anos que se seguirão. Enfim, podem ter transtornos de aprendizagem em que déficits severos em determinadas habilidades cognitivas resultam em inabilidades e incapacidades específicas para desenvolverem os processos mais básicos da aprendizagem da leitura, escrita e/ou matemática, afetando a aprendizagem de conceitos mais complexos que dependem deles. Por isso, é muito importante que se avalie, desde muito cedo, as chamadas **competências iniciais para a aprendizagem da leitura e da escrita.**

Leitura

As competências iniciais que uma criança entre 3 e 7 anos deve adquirir para ter pleno desenvolvimento na aprendizagem da leitura e escrita são: desenvolvimento da linguagem, identificação visual de letras, conhecimento do código alfabético, consciência fonológica, capacidade de nomeação rápida de figuras, objetos, cores e letras, habilidades para escrever o próprio nome e fluência na nomeação de letras. Quando comparamos crianças típicas com aquelas que apresentam autismo – ambos entre 3 e 7 anos – na capacidade de adquirir essas competências iniciais, observa-se nos estudos existentes que ambos os grupos se equivalem e conseguem adquirir as mesmas competências. Curiosamente, muitas crianças com TEA podem ter tais habilidades até melhores e superiores às das crianças típicas. Entretanto, autistas têm menor rendimento e um nível de dificuldade maior em alguns requisitos mais complexos, como as habilidades fonológicas de manipulação (como a de combinação e de elisão).

Com o passar do tempo, em idades superiores, nas fases mais avançadas dos processos de leitura, como as que envolvem linguagens mais complexas e naquelas em que a compreensão da leitura se impõe, observa-se queda e maiores dificuldades no grupo autista. Por exemplo, enquanto o vocabulário permanece repetitivo ou é apenas expressivo, na comparação, ambos ficam empatados; quando o vocabulário passa a ser mais variado, com necessidade de maior compreensão do significado e da gama de possibilidades de usar palavras parecidas para contextos diferentes ou com significados que mudam de acordo com o momento do texto, o rendimento do aluno autista cai e se torna inferior ao dos típicos. O mesmo ocorre no uso de sentenças e na habilidade narrativa. Parece que, no uso de palavras isoladas, os autistas vão bem, mas, quando as palavras são associadas a um texto, a capacidade de reconhecê-las cai e a compreensão do que lê se reduz muito.

Outras pesquisas têm mostrado que autistas apresentam uma chance maior de se tornarem pobres leitores (30% deles) quando comparados aos típicos (7% a 10% deles). Parece que o déficit de habilidade tem papel fundamental nessa maior incidência de dificuldades, pois a compreensão de um texto tem ligação direta com a capacidade de compreensão social das coisas e das relações que os processos sociais exercem nas ações, nos sentimentos e nas motivações de um texto escrito (influência da dificuldade nos processos de teoria da mente e da incapacidade de coesão central). Além disso, habilidades narrativas bem desenvolvidas dependem da capacidade, durante a leitura, de se antecipar ao que imediatamente vem escrito, de perceber intencionalidade, de compreender os tempos de prosódia e de "fechar" o texto sintetizando seus pontos de convergência na exposição de determinado assunto. Tudo isso é muito difícil para um jovem com autismo.

Tais características, observadas nessas pesquisas e corroboradas por outras em fase de conclusão, têm nos mostrado a importância de acompanhar e de fazer **avaliações e reavaliações dinâmicas** em crianças e jovens com TEA.

A avaliação dinâmica é um meio de direcionar os processos educativos e didáticos na escola, e tem como modo de operação monitorar os progressos da criança, avaliar se atendeu às expectativas e, caso contrário, rever as estratégias, redefinir condutas e implementar novos tipos de recursos com novos materiais, motivações e métodos. A criança pode conseguir soletrar e identificar os sons, mas ser inábil para manipulá-los, quando precisar entender a palavra resultante ao acrescentar ou omitir letras na mesma palavra, e necessitar de ajuda especializada. Por exemplo: o início da alfabetização pode se desenrolar bem, mas em fases mais complexas pode "emperrar" e demandar intervenções específicas e pontuais em decorrência dos mais variados motivos, que devem ser analisados detalhadamente caso a caso.

Atualmente, com a identificação de determinados padrões de dificuldades nessas crianças, estão sendo desenvolvidos, em universidades estrangeiras e institutos de educação, softwares e tecnologias digitais que, automaticamente, conseguem detectar os pontos de dificuldade em cada criança na evolução de suas atividades pedagógicas. Esses programas fazem o "diagnóstico" específico da dificuldade em relação a reconhecimento de letras (avaliando alfabeto, fonética, verificação de palavras, soletração) e a compreensão e fluência de textos, e, ao identificarem o problema, recomendam um processo de intervenção. Como esses tipos de recursos encontram-se ainda longe da nossa realidade, podemos analisar essas dificuldades de maneira semelhante em nossas escolas, por meio de avaliações pedagógicas e fonoaudiológicas periódicas durante o ano letivo, e intervindo sucessivamente.

Escrita

Para escrever, existem requisitos neuropsicomotores que são importantes e servem como base para que esse desempenho seja eficaz e, ao mesmo tempo, prazeroso. É necessário engajamento atencional prolongado, integridade dos processos de linguagem, reconhecimento visual de letras e palavras, equilíbrio, postura e noção de espacialidade e habilidade motora e proprioceptiva (sentir as dimensões, a textura e o formato do lápis, por exemplo). Esses requisitos dependem de uma estrutura íntegra e de uma boa ligação entre as mais diversas áreas do cérebro responsáveis pelo ato de escrever, e o transtorno autístico, ao afetar essas ligações e a estrutura cerebral nas mais variadas áreas responsáveis, reduz ou até mesmo impede o seu pleno desenvolvimento.

É muito comum os professores se queixarem de que seu aluno com autismo não quer escrever, que ele não tem a "pega" correta, cansa fácil, irrita-se e não consegue expressar o que pensa ou o que deve responder por meio da escrita. Muitos não conseguem seguir o ritmo da aula ao escrever, rabiscar o traçado correto das letras ou, ainda, distribuir no espaço plano do papel a sequência das palavras.

Na habilidade de escrita, as crianças com autismo costumam ter muitas dificuldades. Dados mostram que mais de 80% delas não conseguem atingir o desempenho pleno. Além dos problemas já citados nos processos de leitura (o que acaba consequentemente afetando a escrita), elas têm dificuldades significativas em coordenação motora – tanto fina quanto grossa – e em sensibilidade e percepção para "a pega"

do lápis. Ouvimos com muita frequência a frase: "Meu filho detesta escrever; quando a professora ameaça partir para uma atividade escrita, ele quer fugir da sala de aula". Isso realmente não surpreende, pois o processo da escrita é um ato extremamente laborioso que exige muito esforço mental e a integração de várias habilidades ao mesmo tempo. Os problemas sensoriais pioram ainda mais a situação, pois alguns autistas sentem incômodo com o lápis na mão, ou não conseguem senti-lo ou mantê-lo entre os dedos, por não perceberem a exata dimensão de seus limites.

Portanto, é fundamental que desde cedo se identifiquem possíveis atrasos nas habilidades motoras e na motivação para cumprir sequências práticas com as mãos, a fim de intervir prontamente e auxiliar essa criança a desenvolver, antes mesmo de entrar na escola, a capacidade motora para quaisquer tarefas que envolvam processos motores laboriosos. O diagnóstico precoce pode corrigir cedo atrasos ligados aos pré-requisitos de escrita, além de melhorar a autorregulação para encarar atividades longas.

Naqueles casos em que a detecção de problemas motores não foi precoce, é essencial o uso de materiais adaptativos que facilitem a "pega". Pode-se usar lápis mais grossos, com antiderrapantes, e folhas com a superfície mais áspera. O professor pode ajudar, adotando meios mais rápidos e objetivos de transmissão do conteúdo, sem a necessidade de cópia e oralizando mais. Também deve encurtar os tempos entre um momento e outro da aula e ficar atento se o aluno está corretamente sentado e apoiado, para melhorar a postura e o equilíbrio durante o ato de escrever, criando, assim, um clima de maior motivação, pois tudo isso permite que a criança se sinta satisfeita com o esforço bem-sucedido.

Muitas vezes, o suporte especializado de um psicomotricista ou de um terapeuta ocupacional pode ser válido para que se empreendam intervenções mais específicas e experientes. Esses profissionais podem também contribuir dando orientações aos pais e à escola. Existem modelos de tecnologias assistivas com uso de tablets e materiais de apoio eletrônicos que podem ajudar, e a escola também pode direcionar determinados conteúdos, sem o uso de meios que envolvam necessariamente a escrita.

Matemática

A aprendizagem da matemática, assim como da leitura e da escrita, também depende da aquisição de determinadas habilidades, como atenção, linguagem, memória verbal e não verbal, capacidade executiva, e ainda de requisitos mais específicos, como consciência numérica, capacidade de transdução, compreensão de fatos/conceitos/propriedades e abstração para aplicar meios de raciocínio.

O passo a passo das tarefas matemáticas exige prontidão e foco, pois é um processo em que, dependendo da posição do número, das vírgulas e dos símbolos (como +/-, colchetes, parênteses etc.), o raciocínio passa a ser outro. Além disso, a dinâmica da matemática exige capacidade de abstração em 3D para a compreensão de conceitos e inter-relações entre eles, como quando associamos fórmulas a figuras geométricas, por exemplo, ou, ainda, quando relacionamos as quatro linhas escritas de um enunciado com determinado fato ou princípio matemático e envolvemos nesse processo uma equação ou estimativas aproximadas.

A literatura destinada à pesquisa da relação entre TEA e aprendizagem matemática é ainda escassa. Mas muitos pesquisadores têm demonstrado que, como autistas apresentam grandes dificuldades de planejamento sequencial, organização, desatenção, percepção do erro

O DIAGNÓSTICO PRECOCE PODE CORRIGIR CEDO ATRASOS LIGADOS AOS PRÉ-REQUISITOS DE ESCRITA, ALÉM DE MELHORAR A AUTORREGULAÇÃO PARA ENCARAR ATIVIDADES LONGAS.

e capacidade de fazer inferências e gerar hipóteses, a aprendizagem dessa disciplina é um desafio para a maioria deles, sobretudo ao terem que resolver os ditos "problemas matemáticos".

Entretanto, alguns podem ser exímios alunos de matemática, chegando a ter altas habilidades nessa área, como um extraordinário poder de cálculo. Curiosamente, vemos também que, entre matemáticos e profissionais de áreas ligadas à matemática, existem mais pessoas com pontuações nos testes de autismo, havendo uma ligação entre estar no espectro e naturalmente se interessar por atuar na área de exatas.

Enquanto crianças com autismo podem ter desempenho mediano ou acima da média em operações matemáticas (adição, subtração, multiplicação e divisão), ao mesmo tempo elas têm enormes dificuldades em aprender os conceitos para aplicar no dia a dia, raciocinar matematicamente e resolver problemas que requerem o uso contextual da aritmética. Observam-se, principalmente, dificuldades em compreender linguagem complexa, organizar sequencialmente os problemas por tipo de estratégia, e gerar e testar mental e simbolicamente hipóteses para concluir um raciocínio. Ou seja, elas vão bem em decorar e memorizar regras e características, mas muito mal em flexibilizá-las e redimensioná-las para criar representações, raciocinar e/ou aplicar em novas informações.

No caso da geometria, as crianças com autismo costumam ter preservadas as habilidades espaciais e de nomeação de figuras. Apesar de esses testes em computadores terem mostrado que elas identificam e trabalham melhor em representações em 3D, no que tange a **transformar** formatos 2D ou 3D em formas planas a dificuldade é considerável e bem conhecida, evidenciando déficits em integrar os variados meios geométricos que têm correspondência e inter-relação em comum. Essa dificuldade em coordenar, modificar e converter formas visuoespaciais diversas demonstra que elas são mais capazes de processar informações matemáticas por meio de elementos concretos e por raciocínio analógico.

Outra inabilidade comum entre autistas é conseguir fazer transduções numéricas, ou seja, representar o mesmo número de formas matemáticas diferentes. Por exemplo, 8 é igual a 4+4, que é igual a 2 vezes 2 vezes 2, que é igual a 8, figuras que são iguais à palavra "oito", e assim sucessivamente.

Portanto, quais estratégias são mais eficazes para ensinar matemática para crianças com autismo? Primeiramente, deve-se instruí-las de maneira explícita, direta, sistemática e prática. Devem-se levar em conta, naturalmente, a idade, a motivação individual e o humor delas para se esforçar e cumprir tarefas matemáticas. Essas crianças usam preferencialmente estratégias visuais planas e visuoespaciais, pois têm grandes restrições ao tentar compreender fases e etapas do enunciado escrito e do problema quando estes trazem em suas palavras ou frases certas expressões com duplo sentido ou significado contextualizado, o que pode confundi-las, sendo necessário **renomear** expressões. Muitos autores recomendam também que a matemática seja ensinada de maneira integrada aos acontecimentos do cotidiano e à experiência prática, utilizando-a para resolver problemas comuns da vida real. Sendo assim, os alunos podem compreender melhor determinados conceitos e expressões que envolvem símbolos e números. O uso de **tecnologia digital** nesse sentido tem sido considerado uma das estratégias mais eficazes para o ensino da matemática. O computador oferece processos mais visuais, espaciais, e mostra fatos matemáticos "concretizados" pelas imagens diretas e objetivas. E existe a vantagem de poderem ser criados processos personalizados e compatíveis com temas de fascínio e de interesse para aquele determinado aluno; podem ser programados, por exemplo, de acordo com o nível de escolaridade e as maiores necessidades do estudante, além de com isso poderem introduzir atividades de estimulação de requisitos que possam estar inexistentes no aluno.

Na tecnologia digital, essa aplicabilidade variável de acordo com as características do jovem com TEA é muito importante, pois reflete a necessidade normalmente vista nesses pacientes: as dificuldades e as potencialidades são muito variadas de acordo com a criança com TEA, e cada caso requer uma customização. Entre outras recomendações, visto que estamos falando de um tablet ou computador, sugere-se que, na criação de um aplicativo acessível aos usuários com autismo, sejam levadas em consideração as seguintes características: contraste entre fonte e fundo, simplicidade, poucos itens na tela, interface clara com tons pastel, sem distratores ou imagens de fundo, e uso de botões e ícones (linguagem visual e direta claras). O manual ou tutorial do aplicativo deve oferecer instruções claras e orientação rápida e direta sobre as tarefas, para facilitar a compreensão em relação à linguagem de conteúdo com o intuito de estimular, motivar e envolver o usuário.

ESSA DIFICULDADE EM COORDENAR, MODIFICAR E CONVERTER FORMAS VISUOESPACIAIS DIVERSAS DEMONSTRA QUE ELAS SÃO MAIS CAPAZES DE PROCESSAR INFORMAÇÕES MATEMÁTICAS POR MEIO DE ELEMENTOS CONCRETOS E POR RACIOCÍNIO ANALÓGICO.

CAPÍTULO 7

QUAIS OS DIREITOS DO MEU FILHO COM AUTISMO?

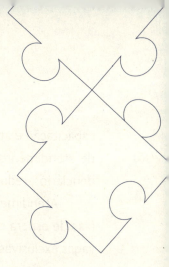

Autismo: o conceito de deficiência e a cobertura das leis

Segundo o Estatuto da Pessoa com Deficiência, Lei 13.146, de 2015, "pessoas com deficiência são aquelas que têm impedimentos de longo prazo de natureza física, mental, intelectual, sensorial, os quais, em interação com diversas barreiras, podem obstruir sua participação plena e efetiva na sociedade em igualdade de condições com as demais pessoas". Na visão da lei e dos diretos, portanto, o autismo é uma deficiência. E essa definição embasa e dá suporte argumentativo para que, sendo uma deficiência, as pessoas que têm autismo possam ter acesso a uma série de garantias que as ajudem e a sua família a buscarem auxílio nas mais diversas áreas da saúde, educação, previdência, trabalho, assistência social, mercado/consumo, tributos, e também no incentivo às pesquisas e à veiculação de informações à população geral.

No Brasil, as salvaguardas legais e os direitos dessas pessoas estão descritas em quatro documentos: **Estatuto da Criança e Adolescência (ECA), Lei de Inclusão, Lei Berenice Piana e Estatuto da Pessoa com Deficiência**. Em todos esses documentos existem artigos que regulamentam e servem de parâmetro para que as instituições atendam e acomodem essas famílias, dando condições para haja real oportunidade de "igualdade de condições" nos mais diversos lugares, como: atendimento prioritário em filas e locais de espera, suporte escolar, capacitação e atualização de profissionais, modernização dos sistemas de atendimento, meios de divulgação e sensibilização, direitos previdenciários, redução de carga horária e coberturas de planos de saúde.

Atendimento prioritário é ter direito a um lugar preferencial em filas de espera em qualquer ambiente público ou privado, assim como vagas exclusivas de estacionamento, em shoppings, mercados, bancos, lojas, cartórios, órgãos públicos, hospitais e postos de saúde, mediante a apresentação do cartão. Em relação à educação, trata-se do direito a frequentar escolas regulares (particulares ou públicas) e ter professor de apoio em rede municipal e estadual, cujas escolas devem fornecer suporte e adaptações necessárias nos acessos, equipamentos e materiais didáticos. No caso de escolas particulares, estas não podem cobrar a mais por professores adicionais ou qualquer tipo de suporte suplementar. O mesmo é garantido no que diz respeito ao ensino superior.

Os profissionais de saúde e de educação e os pais e cuidadores devem receber incentivos para cursos, especializações, atualizações e formações nas mais diversas áreas relacionadas ao autismo, para que sejam capacitados nos modelos mais indicados para intervenção, nos métodos de facilitação e adequação, nos meios didáticos diferenciados e no conhecimento sobre tratamentos medicamentosos.

Os planos de saúde e de seguro-saúde não podem negar a adesão do portador de autismo e devem dar cobertura plena para consultas, exames, procedimentos, internações e cirurgias. Uma relação atualizada de medicamentos deve ser disponibilizada, e os fármacos fornecidos pelo Poder Público; medicações indisponíveis pelo SUS devem ser obtidas mediante ação judicial. É garantida a concessão de cadeiras de rodas e de banho, muletas e camas médicas. No caso de fraldas, estas devem ser cedidas até a criança atingir os 3 anos; acima dessa idade, somente com ação judicial.

No campo do Trabalho e da Previdência, a lei assegura que as empresas destinem um número mínimo de vagas para deficientes, entre eles autistas, e é possível que tais vagas sejam para Menor Aprendiz e estágio. O portador pode ter acesso à redução de jornada de trabalho no Serviço Público sem prejuízos aos seus vencimentos (assegurado também a seus pais, para que possam ter tempo para se deslocar e levar o filho autista para as intervenções diárias). Quando chegado o cumprimento do tempo de serviço, os adultos com autismo têm direito a se aposentar pelo INSS. Na perda dos pais e irmãos, tem direito à pensão se providenciar uma declaração judicial de incapacidade e tiver mais de 18 anos.

O direito ao BPC (Benefício de Prestação Continuada à Pessoa com Deficiência) pode ser concedido, mas esse depende de um cálculo: a renda familiar de cada membro da família do autista não deve superar um quarto (¼) do salário mínimo federal e ela não pode estar previamente recebendo outro benefício previdenciário.

O transporte municipal deve ser gratuito para o deficiente e seu acompanhante; o interestadual e o intermunicipal são gratuitos caso a renda da família não supere um salário mínimo e, no caso do transporte aéreo, ele tem direito à desconto e/ou isenção.

A família tem direito à isenção de IPVA para carros novos e usados. A isenção de IPI e ICMS é assegurada na compra de carros no valor de até 70 mil reais, podendo levar a uma redução de até 20% (mas tal direito só pode ser usado a cada dois anos). E alguns municípios garantem isenção de IPTU. Importante: para a isenção de tais tributos existe a necessidade de preencher formulários e ter em mãos laudos médico e psicológico de clínicas conveniadas ao SUS.

No que diz respeito ao direito à propriedade, a pessoa com TEA pode ser herdeiro e adquirir bens, mas, se for menor de idade, deve ser representada pelos pais. Caso atinja a maioridade ou já seja maior de idade, deve, após a interdição pela Justiça, ter seus atos representados por seu curador. O curador é qualquer adulto judicialmente autorizado a ser o responsável pela defesa e administração dos bens e direitos financeiros de uma pessoa com deficiência atestada por diagnóstico e **laudo médico**. Qualquer deficiente pode ter um curador para compra/venda de carros e imóveis, controle e administração de recebíveis e valores e representação judicial em fóruns.

Na área de consumo, deve ter oportunidades semelhantes para ter acesso a produtos e deve ser tratado como consumidor. Qualquer atitude adversa, como discriminação, exclusão, omissão, crueldade ou violência de qualquer natureza, é considerada crime. O voto é direito garantido, desde que seja atestada a sanidade do autista para exercê-lo. No serviço militar, tem direito ao Certificado de Isenção do Serviço Militar; para isso, deve comparecer à Junta de Serviço Militar com o laudo médico entre os dias 1º de janeiro e 30 de abril do ano em que completar 18 anos.

Laudo médico: detalhes importantes

O acesso a todos os direitos descritos acima só pode se concretizar após a obtenção do laudo médico. É ele que atesta o diagnóstico e traz em seu conteúdo informações que ajudam a direcionar uma melhor compreensão do que é o autismo e assegurar os direitos de seus portadores. O laudo deve ter o nome da pessoa com o diagnóstico e o CID-10 (Código Internacional de Doenças). Deve-se fazer um comentário resumido do quadro da criança, ressaltando seus maiores prejuízos. Deve-se mencionar os profissionais necessários para as intervenções terapêuticas e especificar as terapias mais indicadas para cada caso e as frequências. Além disso, deve-se indicar a escolarização o mais precoce possível e descrever recomendações à escola.

Esse laudo, bem completo e abrangente, serve para orientações que serão utilizadas por pais e cuidadores para várias demandas e permitirá acesso aos demais direitos. Na figura abaixo, um exemplo de laudo.

LAUDO MÉDICO

O parente (Nome da criança) apresenta Transtorno de Espectro Autista - TEA + Comorbidades (CID F840 +). Por ser um(a) portador (a) de um quadro predominantemente autístico, ele(a) tem dificuldades de manter socialização, intenção, iniciativa de intenção comunicativa, significativos prejuízos nas aquisições regulares de seu desenvolvimento e da capacidade de perceber e se autorregular para os processos sociais e corriqueiros do cotidiano, e necessita de intervenções específicas para melhorar sua flexibilidade social, linguagens de duplo sentido e reação a frustrações.

Por se tratar de criança portadora de TEA, deve realizar os atendimentos com profissionais habilitados para as praticas terapêuticas indicadas, em sessões individuais (um terapeuta para um paciente) e em ambiente controlado, com sala fechada e com estímulos adequados a fim de evitar crises de alteração de humor que prejudicam os atendimentos, bem como permitir que responda com mais eficácia aos comandos dos terapeutas, o que propiciará melhores resultados ao tratamento. Deve-se rotineiramente evitar trocas constantes de equipes de intervenção, de escolas e de ambientes sociais pois esta criança depende, para um ideal engajamento nas terapias, da criação e consolidação de vínculos.

Tais orientações devem continuar a ser implementadas em tempo imediato, urgente, pois a demora e as postergações burocráticas influenciam na resposta da criança ao(s) tratamento(s) e limitam os resultados a longo prazo, estreitando a janela de oportunidades que ainda temos.

Assim indico como terapias essenciais para intervir na sua condição:

1. Intervenção fonoaudiológica especializada em TEA e usando meios específicos 2X POR SEMANA para que sejam trabalhadas expressões de fala, comunicação social verbal e não verbal, e linguagem contextual (verbal e não verbal), intencionalidade e linguagem de duplo sentido;
2. Suporte de terapia ocupacional especializada que tenha experiência com TEA, 2X POR SEMANA para trabalhar engajamento em regras e rotinas, praxias e intencionalidade social; e
3. Psicoterapia comportamental baseada em ABA 2X POR SEMANA para intervir no comportamento antissocial, autorregulação frente a regras e rotinas, habilidades sociais/empatia.
4. Outras terapias (se necessário).

Deve manter-se escolarizado(a) e, nesse sentido, é essencial que a escola e a família participem ativamente das intervenções, aplicando em seus contextos ações e estratégias que facilitem e ajudem a criança a interagir socialmente, cumprindo atividades compartilhadas, interagindo e dando retorno aos chamados e aos condicionamentos do cotidiano. Deve estimular a criança a se engajar nas regras e rotinas que envolvem outras crianças e aplicar as orientações das equipes que o(s) acompanham. Deve ter professor de apoio individual especializado para ajudar a mediar o comportamento social na escola e dar mais sentido às ações caso a escola não consiga cumprir o que recomendei acima com o seu estafe regular.

CONCLUSÃO

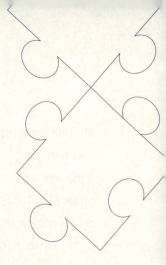

NESTE LIVRO, procuramos abordar os conhecimentos mais relevantes que possibilitam diretrizes sobre o TEA, visando um processo que passa pela identificação, pelo diagnóstico, pelo tratamento e por intervenções nas esferas mais significativas que englobam todo esse processo: a esfera familiar, a profissional e a escolar. Isso porque o autismo necessita, durante todo o processo, dessa ligação, que é fundamental e imprescindível para a otimização dos potenciais da pessoa com TEA e também para um manejo consciente, responsável e, acima de tudo, com menos estresse e sofrimento para os envolvidos.

Mas não basta apenas informar e passar conhecimentos. Algo muito importante dentro de tudo isso é propiciar um conhecimento baseado em evidências científicas – afinal, estamos nos referindo a práticas que podem ter um impacto imensurável dentro desse transtorno e muitas vezes deixar marcas que podem ficar para sempre.

Ouvimos tantos relatos de pais que já desconfiavam que havia algo diferente com o filho quando ele tinha 1, 2 ou 3 anos e o levaram para profissionais que simplesmente disseram que não se podia detectar autismo em crianças tão novas, ou que era coisa da cabeça de uma mãe ansiosa e que, com o filho na escola, tudo se resolveria, afinal "cada criança tem seu tempo", ou, a pior de todas as falas que já ouvimos: "Imagina, ele não tem cara de autista", como se o TEA tivesse cara ou alguma manifestação física para se chegar ao diagnóstico. Essas falas revelam o profundo desconhecimento científico por parte de quem deveria ver com mais cautela e cuidado informações tão importantes, as quais são dadas a pessoas que serão impactadas para sempre por um diagnóstico tardio: os pais.

Em contrapartida, porém, temos inúmeros relatos de escolas e profissionais que alertaram para um possível diagnóstico de autismo e que muitas vezes não foram somente ignorados, como também rechaçados pela família, que, por não aceitar tal possibilidade, procrastinou e perdeu um tempo precioso que muito lhe custaria no futuro.

Dentro desse contexto, temos também a escola, que aqui no Brasil está, em geral, despreparada para receber alunos com TEA. Falar sobre inclusão no nosso país é desafiador e extremamente complicado, e isso acontece, sobretudo, por causa das várias concepções da nossa estrutura educacional, visto que muitas vezes não damos conta de ensinar nem alunos típicos, quem dirá crianças e adolescentes com TEA. Vemos muitas pessoas que querem procurar culpados nesse processo, mas o que não vemos lá, no final da ponta, é que quem está no dia a dia com o aluno, seja ele de inclusão ou não, é o professor, um profissional que na imensa maioria das vezes teve uma formação extremamente falha no que diz respeito a transtornos de desenvolvimento, ciências cognitivas, neurociências, aspectos comportamentais etc., áreas de conhecimento fundamentais para todos os profissionais nos diferentes níveis de educação: da infantil até a universidade. Mas, mesmo assim, temos muitos professores e escolas que, por conta da demanda dos alunos inclusivos que recebem, acabam por procurar formação em cursos para auxiliar sua prática. Sim, muitos são os problemas que encontramos na educação – como em toda área, existem professores e escolas que não se empenham nesse processo –, mas há vários que procuram,

CONCLUSÃO

com todas as limitações, fazer da inclusão uma realidade educacional no nosso país.

E, finalmente, temos os profissionais da área da saúde. Muitas pessoas (a grande maioria delas, aliás) acreditam que eles – sejam médicos, psicólogos, fonoaudiólogos, psicopedagogos, psicomotricistas, enfim, todos os que trabalham com comportamento, aprendizagem e desenvolvimento da infância e da adolescência – estão capacitados quando falamos em TEA. Mas isso, infelizmente, é um grande engano, e ocorre pela falta de formação desses profissionais, desde a graduação até suas respectivas especializações. E são esses profissionais que, muitas vezes por insegurança, procrastinam o diagnóstico ou realizam os processos interventivos de maneira inadequada; mas também são eles que muitas vezes se tornam os guias das ações da escola e da família.

Assim, torna-se cada vez mais necessária a busca pelo constante conhecimento, pois somente dessa maneira iremos além de entender o autismo e teremos profissionais capacitados para diagnosticar, escolas capacitadas para incluir e famílias sendo bem direcionadas e contribuindo com o desenvolvimento de seus filhos. E é dessa forma que todos ganham, principalmente a pessoa mais importante dentro dessa dinâmica: o autista.

Somente quando falarmos repetidamente sobre esse assunto nas diversas esferas poderemos, enfim, fazer com que haja uma verdadeira mobilização social e que esse tema deixe de ser um tabu, tratado com "dedos", com receio. E assim derrubaremos preconceitos e promoveremos um novo aprender.

No momento em que o pai ou a mãe recebe o diagnóstico de que o filho tem autismo, ele ou ela tem a oportunidade desse novo aprender, pautado muitas vezes por sofrimento, dor, perdas, mas que também proporciona um mergulhar num universo ainda mais desconhecido. Afinal, quando temos um filho, entramos numa viagem a qual sabemos que terá pontos nebulosos, porém, quando recebemos a notícia de que temos um filho com algum tipo de dificuldade, esses pontos parecem se espalhar e dominar o caminho todo, fazendo-nos muitas vezes perder o rumo, mas é nesse momento que o conhecimento pode mudar tudo isso, com o apoio de profissionais e escolas capacitados e pais que mergulhem fundo nesse universo.

Quando não temos clareza das coisas, qualquer caminho serve, e é por isso que procuramos neste livro oferecer um norte, para que os caminhos percorridos nessa viagem que se chama autismo sejam mais seguros, confortáveis, equilibrados e, acima de tudo, afetivos, minimizando os sofrimento e maximizando as possibilidades. Dando luz – a luz do conhecimento – a tantas informações.

Ao nos depararmos com algo "diferente", único, nos é concedido sair da zona de conforto, e hoje vemos a imensa revolução que o autismo fez na nossa realidade. Muitos pais que arregaçaram as mangas, foram à luta, e passaram a entender de neuroplasticidade, de desenvolvimento de linguagem, de medicações, de leis, assim como fizeram os muitos profissionais da saúde, que tiveram de ter humildade e voltar a estudar, por vezes sendo confrontados com termos e conhecimentos novos, mas por fim melhorando sua formação e aprendendo sobre etapas de desenvolvimento, cognição social, teoria da mente, entre outros. Ah, e as escolas e os professores, que precisaram voltar a ser alunos e aprender sobre esteriotipias, ecolalia, Asperger, DSM-5, entre tanto outros conceitos.

É curioso como um transtorno de desenvolvimento que tem como característica ver as coisas fragmentadas e separadas está unindo tantas pessoas e mobilizando a sociedade!

CONCLUSÃO

Algo que nos deixa muito felizes foi ter participado de tudo isso desde o começo. Em 2015, lançamos o primeiro congresso on-line sobre autismo, o Conautismo, que foi um sucesso e começou a trazer para as redes sociais um tema que por muito tempo foi um tabu.

Continuamos, ainda, a compartilhar conhecimentos sobre o TEA, e para nós são reconfortantes e animadores os inúmeros depoimentos que recebemos de agradecimento, pessoas simplesmente gratas por terem conseguido diagnosticar o filho mais precocemente, lidado com um aluno ou encontrado um rumo no tratamento de seus pacientes. Quando pensamos na dimensão disso no Brasil, um país extremamente carente de informações e com uma grande desigualdade social, levar conhecimento de qualidade para pessoas que não teriam acesso é fonte de uma alegria imensurável. Sobretudo quando falamos num transtorno tão peculiar, tão único!

Isso porque, quando se tem um diagnóstico, seja ele qual for, procura-se homogeneizar as pessoas nesse diagnóstico, ou seja, todos serão assim... – e essa é mais uma coisa que o autismo desconstrói.

Nestes anos, já ouvimos inúmeras vezes: "O médico disse que... Ele não é autista porque ele beija", ou "Ele não é autista porque ele fala", ou, pior, "Ele não tem cara de autista, é muito bonitinho", como se o TEA pudesse ser diagnosticado por uma dimensão física ou tivesse um padrão de beleza.

Cada pessoa é única, assim como cada TEA é único; cada qual tem suas peculiaridades. Já conheci crianças com TEA com níveis superiores de inteligência, mas imensas dificuldades comportamentais, assim como o inverso também é verdadeiro: autistas com grandes deficiências intelectuais, porém pacatos. Pessoas com autismo, assim como qualquer indivíduo, não têm regras, cada uma tem uma forma de ser, agir, se relacionar, se desenvolver; cada uma é uma mente única, que deve ser entendida, respeitada e, acima de tudo, amada, e é por isso que resolvemos dar este título a nosso livro: *Mentes únicas*.

Saber disso torna nossa missão muito mais significativa, pois cabe a nós, profissionais, educadores e familiares (toda a sociedade, enfim), estudarmos e nos sensibilizarmos, procurando entender, respeitar e, em especial, acreditar. Acreditar que todos aprendem, mas cada um da sua maneira, no seu tempo, com suas peculiaridades; respeitar quando estou em um lugar público e há uma criança gritando, fazendo "birra"; ter tolerância com aquele amiguinho da escola do meu filho que às vezes pode agredi-lo ou ter uns comportamentos "estranhos"; convidar aquele priminho "meio esquisito". Exercitar tolerância e empatia são recursos emocionais que nos são apresentados a todo o momento e para com todas as pessoas, mas quando as exercitamos com aquelas com algum tipo de dificuldade, tenham ou não transtornos, isso nos faz sentir mais próximos, mais úteis e, sobretudo, mais humanos. E, sinceramente, precisamos de mais humanos humanos!

Finalmente, podemos concluir o livro com a certeza de que ele é um pontapé inicial para alguns, um aprofundamento para outros e, ainda, uma revisitação de conceitos já conhecidos para certos profissionais, mas, acima de tudo, que ele é um meio de aprender mais sobre um assunto inesgotável, uma área em que todos os dias há descobertas científicas, possibilidades e surpresas a respeito desses seres humanos únicos, dessas mentes únicas.

CADA UM É UMA MENTE ÚNICA, QUE DEVE
SER ENTENDIDA, RESPEITADA E,
ACIMA DE TUDO, AMADA.

APÊNDICE 1

OBSERVAÇÕES E RECOMENDAÇÕES AOS PEDIATRAS

POR DEFINIÇÃO, a pediatria é uma especialidade médica que acompanha o **crescimento** e o **desenvolvimento** da criança e do adolescente até aos 18 anos. Vigia o seu estado de saúde e diagnostica e trata as suas doenças. Dentro e fora da medicina, seu papel é essencial para promover todas as ações necessárias para que uma criança seja protegida dos riscos genéticos e ambientais que possam restringir a plenitude de seu potencial (ou seja, se esperamos que uma criança atinja tudo o que pode para ser feliz, essa esperança depende de uma boa vigilância).

Esse profissional, na maioria das vezes, é o primeiro médico a avaliar uma criança que acaba de nascer ou que recebe pela primeira vez os serviços de atenção primária em sua cidade. Preferido pelos pais, o pediatra é aquele que "vale a pena pagar uma consulta particular para avaliar meu filho, porque ele é especialista em tudo o que envolve crianças, não é mesmo, doutor?", como dizem muitos pais que adentram nosso consultório. A confiança depositada nesse especialista é imensa, e muitas vezes decisiva, para uma família que está perdida ou em dúvida do que fazer no caso de se levantar algum problema que porventura esteja afetando seu filho. A responsabilidade que se deposita no pediatra exige que o profissional esteja preparado para ações de acompanhamento e de triagem, ou seja, de definir se uma criança se apresenta **dentro ou fora da normalidade** de seu desenvolvimento.

Em dois importantes artigos (em 2007 e em 2015), a Academia Americana de Pediatria (AAP) publicou recomendações baseadas em fortes evidências científicas para as práticas de avaliação pediátrica no autismo. Nessas recomendações, ressaltou-se a necessidade de se fazerem, durante as consultas de puericultura, observações detalhadas e sistemáticas sobre possíveis sinais do espectro autista entre os 18 e os 24 meses de vida, utilizando instrumentos já confiáveis e bem validados pelos consensos internacionais. Essa prática auxilia, e muito, na detecção precoce do autismo, e tais instrumentos podem ser empregados para esse fim pois são considerados de fácil utilidade e aplicáveis na rotina do consultório. Além disso, auxiliam o pediatra na sua principal missão: acompanhar com critério o desenvolvimento de uma criança, alertando o mais cedo possível se ele for anormal. Com essas publicações, a AAP literalmente colocou o pediatra como protagonista no papel de identificar precocemente as crianças com risco de autismo.

E é mais do que natural que o pediatra assuma esse papel. Ele já o faz no momento em que trabalha de maneira preventiva na sala de parto, quando analisa o teste da orelhinha, do coraçãozinho, do olhinho e do pezinho. Quando orienta as papinhas, verifica peso e estatura, prescreve vacinas e examina a criança nas consultas de puericultura, passando o olhar crítico sobre como andam os parâmetros físicos. Esse profissional é decisivo para prevenir doenças ou para evitar o aparecimento de fatores que possam contribuir para depreciar a saúde de nossos pequenos. O pediatra é o médico que protege o futuro com os olhos no passado e as mãos e os olhos no presente, não é mesmo?

No autismo, isso não pode ser diferente! O pediatra deve assumir o papel de **triador** por natureza. Triar significa que, dentro de uma população provavelmente normal, podemos identificar anormalidades que estão escondidas ou pouco evidentes, porque nunca foram observadas ou porque antes não existiam determinadas técnicas. Atualmente, a medicina tem usado vários meios para conseguir triar problemas médicos na população. Conhecemos ações globais, aplicativos, programas de televisão, questionários em sites especializados, campanhas anuais (Setembro Amarelo, Outubro Rosa, entre outras). Quantas pessoas descobriram que tinham diabetes ou hipertensão arterial depois de serem pegas de surpresa e passarem por avaliações nas ruas da cidade? Esses tipos de triagem costumam surpreender, mas são eficientes para, no mínimo, alertar as pessoas a buscarem especialistas.

Uma pesquisa publicada na *Revista Brasileira de Psiquiatria* em 2017 (RIBEIRO, S.H., PAULA, C.S., BORDINI, D., MARI, J.J., CAETANO, S.C. "Barriers to early identification of Autism in Brazil." *Rev Bras Psiq* 2017; 39: 352-354) mostra que, entre a **suspeita** e a **confirmação** do diagnóstico de autismo, demoramos em torno de 36 meses para fechar o diagnóstico. Assustador, não? E foi surpreendente quando se verificou, nessa mesma pesquisa, que as mães brasileiras normalmente suspeitam de autismo no mesmo tempo/idade que as americanas e europeias, mas a diferença ocorre quando elas precisam de profissionais para investigarem e confirmarem suas suspeitas. Na mesma pesquisa, mães revelam, durante sua jornada, experiências negativas com profissionais de saúde – pediatras, entre eles. As mães se queixam de eles não buscarem mais informações quando lhes comunicam que o filho é muito agitado e agressivo e só respondem que cada criança tem seu tempo e que ela não precisa se preocupar. Além da demora em obter respostas e uma avaliação realmente mais profunda, somos testemunhas de que elas também ouvem desses profissionais que ela está "vendo coisas", "exagerando", "querendo ver doença no filho", "que o autismo é uma moda e vai passar", "que ela deve esperar para ver o que vai acontecer", entre outras afirmações. O pediatra, portanto, deve se atualizar e se sintonizar com os novos tempos, especialmente em nosso país, onde temos uma enorme deficiência de especialistas aptos a investigar e diagnosticar o autismo.

APÊNDICE 2

O PEDIATRA DE ANTIGAMENTE ("TRADICIONAL") E O DE HOJE ("ESCLARECIDO E ATUALIZADO")

VÁRIOS MOTIVOS podem explicar por que os pediatras ainda têm dificuldades em triar, identificar e encaminhar crianças com suspeita de autismo e demonstram, ainda por cima, uma atitude indiferente ou despreocupada em relação ao tema na relação com os pais/cuidadores e seus filhos.

A formação do pediatra na tradição brasileira, a influência das teorias com foco em processos puramente emocionais das relações humanas nas faculdades e uma visão de que tudo vai se resolver espontaneamente a longo prazo, como num passe de mágica, são, sem dúvida, determinantes para que essas ações que desestimulam a detecção precoce do autismo continuem a se repetir.

Além disso, os pediatras brasileiros, tradicionalmente, sempre tiveram que se preocupar muito mais com doenças infecciosas, que levavam a internações, e com um perfil de puericultura que privilegiasse os aspectos nutricionais e vacinais, pois nosso país sempre teve taxas de mortalidade infantil elevadas e geradas por condições médicas relacionadas a esses tipos de problema. Portanto, a grade curricular e os meios de formação e atualização privilegiaram esses assuntos e sempre trataram como secundárias as condições relacionadas aos processos cerebrais. Além do mais, tudo o que envolve neurologia e neurodesenvolvimento parece estar muito longe das competências dos pediatras, que parecem desobrigados de investigar condições a elas relacionadas, pois os professores nas faculdades também não as consideravam importantes para incluir nas ementas das residências médicas. Como não é possível voltar atrás e modificar o conteúdo da graduação dos já formados, é essencial que os pediatras busquem uma nova postura, a saber: deixar de lado a visão "tradicional" e "procurar" esclarecimento e atualização de acordo com as demandas de hoje.

Esse novo pediatra não deve só ficar restrito ao trabalho de orientar o clássico: papinha/peso/estatura/vacina/higiene. Deve se habituar a ouvir mais os pais e suas preocupações referentes ao desenvolvimento de seu filho. Deve valorizar os dados que revelam situações negativas, atrasos pontuais e alterações de comportamento. Se passar pela cabeça do pediatra que algo não vai bem com a criança e que ele próprio não domina bem aquele detalhe clínico, deve encaminhar o paciente na hora! É preciso cultivar o hábito de ser curioso, investigativo, instintivo, e buscar descobrir o que o está incomodando naquela criança em vez de desprezar o que parece não ser normal. O pediatra deve reconhecer que ele tem um papel de triador, o que é essencial na rede pública de atendimento e num contexto de poucos especialistas e de pouca informação.

Novas especialidades dentro da pediatria estão surgindo, como os **pediatras do desenvolvimento e do comportamento**, os quais têm a atribuição de investigar condições associadas a esses problemas, orientando e direcionando as ações na família, na escola, nas creches ou CMEIs e nos processos que envolvem a aprendizagem social e acadêmica. Essa especialidade ainda não existe no Brasil e precisa ser estimulada. Em nosso país, quem tem assumido esse papel é o neurologista infantil – sobretudo aquele com formação básica em pediatria e com subespecialização em neuropediatria.

REFERÊNCIAS BIBLIOGRÁFICAS

BELTRÃO-BRAGA, P.C.B.; MUOTRI, A.R. "Modeling Autism Spectrum Disorders with Human Neurons." *Brain Research*. 2016. Disponível em: <https://www.ncbi.nlm.nih.gov/pubmed/26854137>.

CASANOVA, E.L.; CASANOVA, M.F. "Genetics Studies Indicate that Neural Induction and Early Neuronal Maturation are Disturbed in Autism." *Frontiers in Cellular Neuroscience*. 397 (8): 1-13, 2014.

CZERMAINSKI, F.R. *Avaliação neuropsicológica das funções executivas no TEA* [Tese de Mestrado]. Porto Alegre: Universidade Federal do Rio Grande do Sul, 2012.

DONOVAN, A.P.A.; BASSON, M.A. "The Neuroanatomy of autism: a Developmental Perspective." *J Anat*. 230: 4-15, 2017.

EIKESETH, S. "Outcome of Comprehensive Psycho-Educational Interventions for Young Children with Autism." *Research in Developmental Disabilities*. 30: 158-178, 2009.

GOMES, P.T. et al. "Autism in Brazil: a Systematic Review of Family Challenges and Coping Strategies." *J Pediatr*. Rio de Janeiro, 91: 111-21, 2015.

GRANDJEAN, P.; LANDRIGAN, P.J. "Developmental Neurotoxicity of Industrial Chemicals." *Lancet*. 368 (9553): 2167-78, 2006.

GRECUCCI, A.; SIUGZDAITE, R.; JOB, R. (eds.). "*Advanced Neuroimaging Methods for Studying Autism Disorder.*" Lausanne: Frontiers Media, 2017. Disponível em: <10.3389/978-2-88945-316-0>.

LECLERC, S. et al. Pharmacological Therapies for Autism Spectrum Disorder: A Review. P&T®, [S.L], v. 40, n. 6, p. 389-397, jun. 2015.

JESUS, E.P. *O autista e os benefícios da equoterapia* [Monografia em Educação Inclusiva]. Rio de Janeiro: Universidade Cândido Mendes, 2009.

KWEE, C.S. *Abordagem transdisciplinar no autismo: o programa TEACCH* [Tese de Mestrado]. Rio de Janeiro: Universidade Veiga de Almeida, 2006.

LANDRIGAN, P.J. "What Causes Autism? Exploring the Environmental Contribution." *Current Opinion in Pediatrics*. 22: 219-225, 2010.

LORD, C. et al. "Autism Spectrum Disorder." *Lancet*. 392 (10146): 508-520, 2018. Disponível em: <10.1016/S0140-6736(18)31129-2>.

MANDY, W. et al. "Assessing Autism in Adults: an Evaluation of the Developmental, Dimensional and Diagnostic Interview." *J Autism Dev Disord*. 48: 549-560, 2018.

MULLIGAN, S. et al. "An Analysis of Treatment Efficacy for Stereotyped and Repetitive Behaviors in Autism." *Rev J Autism Dev Disord*. 1: 143-164, 2014.

MUSZKAT, M. et al. "Neuropsicologia do autismo." In: *Neuropsicologia*: teoria e prática. Porto Alegre: Artmed, 2014.

NAGUY, A. "A Roadmap to Clinical Assessment and Evaluation of Autism Spectrum Disorder." *J Family Med Prim Care*. 6: 883-4, 2017.

ORNOY, A.; WEINSTEIN-FUDIM, L.; ERGAZ, Z. "Genetic Syndromes, Maternal Diseases and Antenatal Factors Associated with Autism Spectrum Disorders (ASD)." *Front. Neurosci*. 10: 316, 2016. Disponível em: <https://www.ncbi.nlm.nih.gov/pubmed/27458336>.

REFERÊNCIAS BIBLIOGRÁFICAS

PAULA, C.S. et al. "Autism in Brazil: Perspectives from Science and Society." *Rev Assoc Med Bras.* 57 (1): 2-5, 2011.

PRIZANT, B.M. et al. "*The SCERTS Model*: a Comprehensive Educational Approach for Children with Autism Spectrum Disorders." Baltimore: Brookes Publishing, 2006.

RIBEIRO, S.H. et al. "Barriers to Early Identification of Autism in Brazil." *Rev Bras Psiq.* 39: 352-354, 2017.

ROSSIGNOL, D.A.; GENUIS, S.J.; FRYE, R.E. "Environmental Toxicants and Autism Spectrum Disorders: a Systematic Review." *Transl Psychiatry.* 4: 1-23, 2014.

SANTOS, M.I.; BREDA, A.; ALMEIDA, A.M. "Design Approach of Mathematics Learning Activities in a Digital Environment for Children with Autism Spectrum Disorders." *Education Tech Research.* 65(5):1305-1323. Disponível em: <10.1007/s11423-017-9525-2>.

_____ (2015). "Brief report: Preliminary Proposal of a Conceptual Model of a Digital Environment for Developing Mathematical Reasoning in Students with Autism Spectrum Disorders." *Journal of Autism and Developmental Disorders.* 45 (8): 2633-2640. Disponível em: <10.1007/s10803- 015-2414-9>.

SU, H.F.H.; LAI, L.; RIVERA, H.J. "Effective Mathematics Strategies for Pre-School Children with Autism." *APMC.* 17 (1): 25-30, 2012.

THE CHILDREN'S HOSPITAL OF PHILADELPHIA – RESEARCH INSTITUTE. "*Elements of an Evaluation for ASD*, 2014." Disponível em: <https://carautismroadmap.org/elements-of-an-evaluation-for-an-autism-spectrum-disorder/>.

VIRUES-ORTEGA, J.; JULIO, F.M.; PASTOR-BARRIUSO, R. "The TEACCH Program for Children and Adults with Autism: a Meta-Analysis of

Intervention Studies." *Clinical Psychology Review*. 33: 940-953, 2013.

WEI, X. et al. "Reading and Math Achievement Profiles and Longitudinal Growth Trajectories of Children with an Autism Spectrum Disorder." *Autism*. 19: 200-210, 2015. Disponível em: <https://www.sri.com/work/publications/reading-and-math-achievement-profiles-and-longitudinal-growth-trajectories-childre>.

WHALON, K. "Enhancing the Reading Development of Learners with Autism Spectrum Disorder." *Semin Speech Lang*. 39 (2): 144-157, 2018. Disponível em: <10.1055/s-0038-1628366>.

WOLFF, J.J.; JACOB, S.; ELISON, J.T. "The Journey to Autism: Insights from Neuroimaging Studies of Infants and Toddlers." *Dev Psychopathol*. 30 (2): 479-495, maio de 2018. Disponível em: <https://www.ncbi.nlm.nih.gov/pubmed/28631578>.

XAVIER, J. et al. "A Multidimensional Approach to the Study of Emotion Recognition in Autism Spectrum Disorders." *Front. Psychol*. 6: 1954, 2015. Disponível em: <10.3389/fpsyg.2015.01954>.

ZAHORODNY, W. et al. "Preliminary Evaluation of a Brief Autism Screener for Young Children." *J Dev Behav Pediatr*. 0: 1-9, 2018.

ZHOU, Y. et al. (2016). "Functional Connectivity of the Caudal Anterior Cingulate Cortex is Decreased in Autism." *PLOS ONE*. 11 (3): e0151879. Disponível em: <10.1371/journal.pone.0151879>.

ZWAIGENBAUM, L. et al. "Early Identification and Interventions for Autism Spectrum Disorder: Executive Summary." *Pediatrics*. 136: S1-S9, 2015.

_____. "Early Screening of Autism Spectrum Disorder: Recommendations for Practice and Research." *Pediatrics*. 136: S41-S59, 2015.

REFERÊNCIAS BIBLIOGRÁFICAS

ZWAIGENBAUM, L.; BRYSON, S.; GARON, N. "Early Identification of Autism Spectrum Disorders." *Behav Brain Res*. 2013. Disponível em: <http://dx.doi.org/10.1016/j.bbr.2013.04.004>.

Este livro foi impresso pela
Gráfica Santa Marta em papel
pólen bold 70g em abril de 2024.